WIE KANN SIE NUR?

SOPHIE PASSMANN

WIE KANN SIE NUR?

SOPHIE PASSMANN

Kiepenheuer & Witsch

MIX
Papier | Fördert gute Waldnutzung
FSC® C083411

1. Auflage 2026

Covergestaltung Barbara Thoben, Köln
Covermotiv © Max Strohe
Gesetzt aus der Warbler und der Fraunces
Satz Wilhelm Vornehm, München
Druck und Bindung CPI books GmbH, Leck
ISBN 978-3-462-00858-6

Kontaktadresse nach EU-Produktsicherheitsverordnung:
produktsicherheit@kiwi-verlag.de

Für

EMILIA SUPERSTAR

**I don't care if it hurts, I want
to have control
I want a perfect body, I want
a perfect soul**

Radiohead

**I'm a mirrorball
I can change everything
about me to fit in**

Taylor Swift

EINLEITUNG

Das ist ein Buch über Frauen im Internet. Darüber, wie sie sich zeigen, darüber, wofür sie gelobt werden, wofür sie kritisiert und wofür sie gehasst werden. Darüber, wie ihnen erst Anerkennung geschenkt wird für das, was sie tun, nur, um ihnen kurze Zeit später genau diese Anerkennung wieder zu entziehen, wieder für das, was sie tun. Es ist ein Buch über dicke Frauen, die Shitstorms bekommen, weil sie abnehmen, über Millionärinnen, die sich dabei filmen, wie sie am Herd stehen und kochen, darüber, ob junge Popstars glaubwürdiger sind, wenn sie ihren Körper verhüllen, ob schlaue Männer Influencerinnen daten sollten, ob alternde Schauspielerinnen dem Internet ihr Gesicht in selber Weise zumuten können, wie sie es früher getan haben. Es ist ein Buch über die Öffentlichkeit in sozialen Netzwerken, die süchtig danach zu sein scheint, pausenlos zu bewerten, um zumindest ein Mindestmaß an Kontrolle über sie behalten zu können. Und es ist auch ein bisschen ein Buch darüber, dass ich eine dieser Frauen im Internet bin, der das alles immer wieder passiert.

Jede Frau kann jederzeit die schlimmste Frau im

Internet werden. Es reicht ein bearbeitetes Selfie, ein alter Videoausschnitt davon, wie man mal etwas Kontroverses gesagt hat, eine Reise zu viel, die man ohne seinen Partner oder sein Kind gemacht und dann im Internet dokumentiert hat, ein teures Kleidungsstück, ein Plastikcup, eine zu pralle Lippe, eine Lunchbox, die sie mit zu viel Gründlichkeit oder Hingabe für ihr Kind oder ihren Mann vorbereitet hat.

Im Internet zu sein, ist aber auch aufregend, weil man nie weiß, was als Nächstes passiert. Darf das eigene Idol übermorgen noch ein Idol sein oder muss ich es plötzlich vor allen Menschen verteidigen? Und traue ich mich das dann überhaupt? Es ist aufregend, weil man ständig Neues entdeckt, ständig eine vermeintlich bessere Version von Frau sieht, die Fragen aufwirft. Zum Beispiel danach, was man an sich selbst optimieren könnte. Es ist aufregend, weil man andere Frauen kennenlernt, die andere Leben auf anderen Kontinenten führen und mit denen man dennoch dieses schwer zu greifende Gefühl von Schwesternschaft haben kann, das sich über die banalsten Dinge herstellen lässt. Ausgeliehene Tampons in Badezimmern von Restaurants, die Nachricht an eine fremde Frau, weil man wissen möchte, wieso der eigene Freund ihr seit gestern Nacht auf Instagram folgt (beide wissen, dass das völlig verrückt ist, und beide waren bereits mehrmals in ihrem Leben in genau diesem Maße völlig verrückt), eine Strickjacke, die diese fremde Frau in ihrer Story so lässig trägt, ein Lipliner, der viral geht. Und plötzlich steht man mit acht anderen Frauen vor dem leeren Regal einer Drogerie, und alle wissen, dass man da ist, weil diese scheinbar perfekte Frau gestern Abend im Internet gesagt hat, dass dieses Produkt dein Leben verändert.

DU IM INTERNET

Das Ding ist: Die Version, die du von dir im Internet zeigst, gibt es nicht. Sie ist ein Worst-of von dir, ein mit neurotischer Gründlichkeit zusammengeflicktes Frankenstein-Monster, das immer und zu jeder Zeit auf das reagiert, was es im Internet sieht. Du denkst über Reaktionen nach, ehe es sie gibt, und du hältst diese Art von Neurose für Klugheit oder Besonnenheit. Du möchtest vorbereitet sein, und deswegen liegst du abends im Bett und spielst sicherheitshalber immer das Schlimmste von allem durch. Was wäre die furchtbarste Sache, die jemand unter ein Selfie von dir kommentieren könnte? Was denkt dein Ex-Freund über dieses Selfie? Was deine Mutter? Wie viele Leute leiten deine Beiträge ironisch an ihre Freunde weiter? Wieso ist es peinlich, wenn du zugibst, dass dich all das interessiert?

Du willst die Meinungen von anderen hören. Und du hast panische Angst vor ihnen. Du willst schlau sein, so schlau, dass Leute überrascht sind, wenn du *trotzdem* gut aussiehst. Du willst hübsch sein, alle im Internet sind mittlerweile hübsch, oder sie sind durchtrainiert, oder zumindest pausenlos glücklich. Du schaust dir Video-Anleitungen zum *Glow Up* von Frauen an, die vorm Einschlafen zwanzig Seiten eines Sachbuches lesen und ihre Gesichter mit Vaseline vor dem Austrocknen schützen, von Leuten, die ganze Monate zu *Challenges* erklären. Du behältst ein ständiges Bauchgefühl dazu, wie viele Fotos von dir selbst du in letzter Zeit auf Instagram gepostet hast, um rechtzeitig wieder das Cover eines Buches, den Screenshot eines Zeitungsartikels oder eine Petition, die dich nicht ansatzweise so sehr interessiert, wie du es dir wünschen würdest, zu teilen.

Du siehst unendlich viele Frauen im Internet, jeden Tag. Du vergleichst sie mit dir selbst oder deiner Mutter oder seiner Ex-Freundin, an schlechten Tagen denkst du darüber nach, wer von beiden es besser macht. Es ist nichts, was du beabsichtigst. Ein Reflex, eine schlechte Angewohnheit, die du nicht versuchst, loszuwerden, weil du sie ja nur vor dir selbst rechtfertigen musst. Niemand außer dir weiß, wie du auf die Körper anderer Frauen schaust, wenn sie Fotos aus dem Urlaub posten. Du fragst dich, ob sie wirklich alles essen, was sie posten, ob sie ihren Bauch eingezogen haben, ob sie sich für dauerhafte Haarentfernung entschieden haben. Du tust so, als würden dich die Antworten auf diese Fragen weiterbringen und als würdest du dadurch schlauer werden. In Wahrheit befriedigt es ja nur diese Gier danach, die ständig präsente und irre nervige Frage zu beantworten, wer gewinnen würde in diesem Wettbewerb, bei dem sich niemand angemeldet hat. Du schaust dir an, wie sie ihren Körper verändert, die Farbe ihrer Haare. Wie ihr Partner sie auf dem Foto zum Jahrestag in den Armen hält, was für dich Aufschluss darüber gibt, ob er sie *wirklich liebt.* Du kennst diese Frauen nicht. Aber wir haben vor vielen, vielen Jahren aufgehört, infrage zu stellen, ob sich das gehört. Ob sie uns gehören. Das Internet besteht aus Influencerinnen, die unverschämt viel Geld verdienen, aus Comedians, die Podcasts haben und über ihre Ex-Freunde reden, aus YouTuberinnen, die zeigen, wie sie auf einer Fashion Week den Traum all ihrer Fans leben. Sie zeigen uns ihre Kleiderschränke und Unreinheiten, teilen ihre Playlists und Tipps für eine gute Darmgesundheit. Was sollst du also anderes tun, als dir eine Meinung zu bilden über sie? In Wahrheit kennst du diese Frauen eben doch. Du *bist* diese Frauen.

Du kannst dir nichts Gemütlicheres vorstellen, als abends im Bett zu liegen, im Hintergrund eine Serie laufen zu lassen und parallel auf dem Handy Videos in sozialen Netzwerken anzuschauen. Das Handy bleibt lautlos, außer, wenn dir etwas wirklich Interessantes angezeigt wird. Dann pausierst du die Serie, weißt aber, dass du auch einfach kurz die Lautstärke runterdrehen könntest, weil du ohnehin nicht wirklich etwas davon mitbekommst. Bis heute passiert es dir, dass du Serien zum zweiten oder dritten Mal siehst und in einem aufmerksamen Moment ganze Handlungsstränge das allererste Mal erlebst. Du weißt, dass das von außen unsinnlich wirkt, das ständige Beschallt- und Beleuchtetwerden von mehreren Bildschirmen gleichzeitig, würde man ein Foto von dir machen, wie du da sitzt, dann sähe es aus wie das Cover eines Buches, das den negativen Einfluss von Social Media auf junge Menschen anprangert oder das Thumbnail einer neuen Folge Black Mirror. Die Wahrheit ist allerdings, dass sich für dich nichts daran trostlos oder dystopisch anfühlt. Du hüllst dich nach einem harten Tag in der echten Welt in eine Decke von Content und musst endlich keine Fragen mehr beantworten. Du weißt, dass das alles nicht gut ist, dass du deine Zeit viel sinnvoller und gesünder nutzen könntest, dass das eigentlich nicht deinen Ansprüchen an dich selbst genügt. Aber es gibt eben auch einen Teil von dir, der sich genau danach sehnt: einfach nach stumpfem Content, der nie aufhört und dich unendlich füttert. Und um ganz ehrlich zu sein, bildest du dir ein, dass du soziale Netzwerke *besser* nutzt als andere. Das ist auch der Grund, wieso du dich nicht angesprochen fühlst, wenn Leute darüber sprechen, dass es jungen Menschen *schadet.* In Wahrheit ahnst du aber, dass du ein Problem hast, genau wie alle anderen. Das sich immer und immer wiederholende, fast schon mechanische Öffnen der zwei selben Apps auf dem Handy, manchmal im Abstand von wenigen Minuten, ohne irgendeine Hoffnung oder Erwartung, dass in der Zwischenzeit wirklich irgendwas *passiert* ist. Du willst nicht darüber nachdenken. Du hast auch keine Lust, das hier zu lesen, wenn es *diese* Art von Buch ist. Ist es nicht. Atme.

Als Kind hast du Bücher *verschlungen,* daran erinnerst du dich. Jetzt liest du sie widerwillig, weil es gesund ist, achtsam. Deine Aufmerksamkeitsspanne ist kurz, du empfindest es als Frechheit, wenn die Bücher, die du liest, darauf einzahlen. Kurze Bücher, kurze Sätze, einfache Antworten, schöne Cover. Du liest sie trotzdem. Und es gibt dir ein gutes Gefühl. Und du postest die schönen Cover, nachdem du zu viele Selfies gepostet hast.

Es lohnt sich trotzdem, die Sache mit dem Internet. Du bist so inspiriert wie nie. Du bist so gut gekleidet wie nie. Du bist so schön wie nie. Für jede Frage, die du ans Leben haben könntest, warten Zehntausende von fremden Menschen in deiner Hosentasche darauf, sie für dich zu beantworten. Das beruhigt dich. Es nimmt dir Arbeit ab. Statt dich fragen zu müssen, was du wirklich magst, ziehst du einen Durchschnitt aus allem, was du dazu jemals in deinem Handy gesehen hast, und speicherst das für dich als Charaktereigenschaft ab. Das klappt gut. Nur kurz zwischendurch sehnst du dich danach, wirklich spannend zu sein. Das Gute ist: die Konkurrenz ist nicht so groß. Wer ist heutzutage schon wirklich spannend? Und war früher überhaupt jemand spannender, als Menschen es heute sind?

Das Internet gehört Frauen. Zumindest der Teil, den du dir *anschauen* kannst. Das ist wie in den Neunzigern mit den Supermodels: Die Frauen sind über die Laufstege stolziert, und dann wurde darüber debattiert, ob sie zu viel Geld verdienen für das, was sie leisten. Die Multimilliarden-Konzerne dahinter gehörten Männern, genau wie heute.

Du liebst das Internet dafür: überall girls, überall gays. Überall Insider. Kleine Momente, die in der Sekunde, in der sie in deinem Handy passieren, so wichtig sind wie nichts anderes in deinem Leben und in dem Moment, in dem man sie irgendwo aufschreibt, bereits wieder völlig veraltet sind. Wenn du von ihnen im Nachhinein liest, fühlen sie sich an wie blasse Erinnerungen an etwas, von dem du heute nicht mehr erklären kannst, wieso sie kurz wichtig waren. Pedro Pascal wird bei Starbucks dabei erwischt, wie er einen sechsfachen Espresso bestellt. Ein Paar geht bei einem Coldplay-Konzert fremd. Taylor Swift ist verlobt.

All diese Dinge sind genauso wichtig für dich wie die echte Welt, natürlich könntest du erklären, *wieso* das bedeutend ist. Du hast nur keine Lust, es Menschen zu erklären, die es von sich aus nicht verstehen. So geht man als Frau durchs Internet. *The girls who get it get it. The girls who don't don't.*

Manchmal triffst du auf einer Party eine neue Person, von der du innerhalb weniger Momente bemerkst, dass sie sich im Internet dieselben Inhalte ansieht wie du. Einer von euch beiden bedient einen Insider-Witz, wiederholt ein Meme, zitiert eine Punchline, und der andere sieht dann wie elektrisiert auf, eure Blicke treffen sich, und ihr seid erleichtert. Ihr wisst, dass ihr für die nächsten Stunden eine Begleitung fürs Leben gefunden habt, ihr erwartet nicht, dass diese Person für euch morgen noch eine Rolle spielt. Das Gefühl, das in dir aufkommt, erinnert dich an Heimkommen, du möchtest dafür aber gerne kleinere Worte finden, weil es ja immerhin gerade nur darum geht, dass du jemanden getroffen hast, der dieselbe Timeline hat wie du. Seltsamerweise fühlen sich diese Momente trotzdem groß und bedeutend an, wie eine Art Beweis dafür, dass sich die vier bis neun Stunden, die du täglich im Internet verbringst, irgendwie *lohnen.* Plötzlich materialisiert sich vor dir ein anderer Mensch, der abends in einer anderen Wohnung sitzt und über dieselben Sachen lacht.

Manchmal, wenn du nicht schlafen kannst, denkst du darüber nach, wie viel Peinliches man im Internet über dich finden könnte. Du denkst nicht an die zehn Jahre alten Instagram-Posts, die du zwischendurch archivierst, weil sie aus dem Zeitgeist gefallen sind, so, wie es sich gehört. Du denkst an Webcam-Screenshots, von denen du nichts weißt. Heimlich gehackte Clouds. Nacktfotos. Bildschirmaufnahmen von Sprachnachrichten. Manchmal willst du einfach erpresst werden mit irgendwas, damit du es endlich hinter dir hast.

Und während du darauf wartest, erpresst zu werden, zoomst du in Selfies von Kylie Jenner rein, auf der Suche nach Poren und einem neuen Anlass, dich mit deinem eigenen Aussehen schlecht zu fühlen, um den Kauf eines Serums zu rechtfertigen. Du schaust dir Videos von Influencerinnen an, die du *hasst,* auch wenn du weißt, dass das nicht gut ist für dich. Du bist schwach, unzufrieden, leicht zu beeindrucken, und du findest das okay.

Das Internet ist natürlich auch der Horror. Die Dinge, die du dir gerne anschaust, nachkaufst, kopierst, sind doch alle hirnverbrannt. Frauen, die sich *clean girls* nennen, weil sie die Ästhetik einer Multimillionärin kopieren. Die Frage, ob man *boy pretty* oder *girl pretty* ist. Die Behauptung, dass *alles feministisch* sei, was eine Frau machen möchte. Dass es deswegen kein Problem sein dürfte, wenn die Frauen, die ihr Leben als Hausfrau und Mutter im Internet darstellen, immer wieder darauf hinweisen, dass es in der *Natur der Frau* liegt, dem Ehemann abends das Essen zu kochen. Die Tatsache, dass du weißt, was ein *morning shed* und ein *winter arc* sind. Die Tatsache, dass alle immer schöner werden, im Internet und im echten Leben. Du siehst keinen Unterschied mehr zwischen den Gesichtern von Lindsay Lohan und Christina Aguilera, du könntest schwören, dass das mal zwei verschiedene Frauen waren. Die Gewissheit, dass wir den Bogen völlig überspannt haben, als Frauen. Im Internet. Dass es erholsam und tröstend sein kann, sich mit anderen Frauen *ausnahmsweise* einfach mal über Banalitäten wie den richtigen Lippenstift oder die perfekte Methode für Locken ohne Lockenstab zu unterhalten. Aber gleichzeitig eben auch zu ahnen, dass das alles zu viel geworden ist. Zu oberflächlich. Zu schön. Zu kapitalistisch. Alles soll Spaß machen, alles soll dabei aber auch tiefsinnig bleiben. Du willst das hirnlose Internet benutzen, aber eben anders als andere. Du zoomst in die Selfies und du vergleichst die Körper, du lässt im Hintergrund Serien laufen und starrst dein Handy an. Und dann kommt der Moment, an dem du doch kurz erschreckst vor dir selbst, panisch den Laptop zuklappst und es am nächsten Tag wieder ganz genauso machst.

WIESO muss ich das Cover eines Buches sofort posten, sobald ich es gekauft / gelesen habe?

SIND »Video-Essays« auf YouTube wirklich weniger Zeitverschwendung als Make-up-Tutorial, oder denkt man das nur, weil sie weniger Spaß machen?

HOFFE ich, dass meine Lieblingsinfluencerin im echten Leben besser oder schlechter aussieht als im Internet?

WAS sagt das über mich aus?

WER benutzt noch seinen Stanley-Cup?

WAS ist peinlicher: Selfies posten, wenn man sich besonders hot findet, oder Selfies posten, wenn man sich besonders hässlich findet?

HÄTTE ich mich ohne Social Media jemals für Teppichreinigung interessiert?

UND Sauerteig? **SONNEN**schutz?

HÄTTE ich eine Skincare-Routine?

WAS in meinem Leben wäre mir wichtig genug, es wirklich nachzulesen, wenn es kein Internet gäbe?

WÜRDE ich wissen, dass meine Haut
einen kühlen Unterton hat?

WÜRDE ich die Falten neben meinem Mund
hassen, die alle Frauen in meiner Familie haben?

GÄB es das Wort neurodivergent?

WÄRE ich ohne das Internet dünner?

ODER dicker?

WÄRE ich überhaupt jemand?

ICH IM INTERNET

Bevor ich es ertragen habe, mich selbst anzusehen, habe ich mich im Internet zur Schau gestellt. Meine Teenagerzeit ist in sozialen Netzwerken passiert. Erst genauso privat wie bei allen anderen auch, und dann, langsam, aber sicher, hat sich eine Öffentlichkeit an mich rangeschlichen, deren Anwesenheit ich so lange ignoriert habe, wie es mir möglich war. Reichweite in sozialen Netzwerken öffnet einem die seltsamsten Türen in dieser Welt. Türen, von denen man manchmal nicht mal weiß, dass sie existieren, weil es die eigene Vorstellungskraft übersteigt, dass es den Raum, der sich dahinter verbirgt, wirklich gibt. Erst konnte ich mich nicht beschweren, dann wollte ich mich nicht beschweren. Dann habe ich mich beschwert.

Das, was Frausein heute bedeutet, ist untrennbar mit Konsum verbunden. Konsum von Produkten, von Optimierung, von Popkultur. Ich bin eine Frau, die diese Produkte konsumiert. Und ich bin eines der Produkte, das konsumiert wird. Ich vergesse abwechselnd immer eines von beiden, ich schaffe es nicht, beides gleichzeitig zu sein. Manchmal poste ich etwas, weil ich eine einzige Person in meinem Leben daran erinnern möchte, dass ich existiere, und bin später überrascht, dass Hunderttausende fremde Menschen sich das angeschaut haben. Manchmal poste ich ein Selfie, damit mehr fremde Menschen mein Profil anklicken, weil ich am kommenden Tag etwas zu verkaufen habe, eine Podcast-Folge, ein neues Buch, vielleicht hat mich eine Marke bezahlt, etwas von ihnen in die Kamera zu halten. Und dann sitze ich später am Abend mit meinen besten Freunden in einer Bar und merke, dass ich für sie gerade diese Person bin, die das gemacht hat, was wir normalerweise nur machen, wenn wir Liebeskummer haben: *ein hottes Selfie von sich posten.*

Wenn mich fremde Frauen auf der Straße ansprechen, weil sie mich aus dem Internet kennen, will ich sofort mit ihnen befreundet sein. Das sind *echte Menschen,* denke ich dann, die mich seit Jahren kennen, obwohl ich sie noch nie gesehen habe und wahrscheinlich auch nie wieder sehen werde. Sie werden erfahren, wenn ich mich verlobe und wie ich die nächste Platte von Lorde finde. Sie werden mich nie aus den Augen verlieren, wenn sie das nicht möchten. Und ich erfahre meistens nicht einmal ihren Vornamen.

Einmal sprach mich eine junge Frau auf der Straße an, sie trug die gleiche Kette wie ich zu der Zeit. Ich fand das einen irren Zufall und erzählte ihr, dass wir *seelenverwandt* oder so was sein müssten. Sie schaute mich etwas irritiert an und sagte mir schließlich, dass sie mir die Kette natürlich nachgekauft habe. Ach so, klar.

Ich selbst hatte die Kette damals auch einer Influencerin nachgekauft, auch wenn ich mich nicht einmal daran erinnere, wer es war. Ich weiß, dass ich ein Foto oder Video dieser Frau auf Instagram gesehen haben werde und für einen kurzen Moment neidisch auf diese Frau gewesen sein muss, wegen ihrer reinen Haut oder ihrem glänzenden Haar, vielleicht auch wegen ihres Selbstbewusstseins oder ihrer Karriere. Und dann werde ich die Kette gekauft haben in der Hoffnung, dass mich das dem gerade entstandenen Wunsch, diese Frau zu sein, ein bisschen näher bringt. Ich war damals eine echte Frau, eine, die anderen Frauen Ketten nachkauft, weil sie glaubt, damit ein besserer oder schönerer oder interessanterer Mensch zu werden. Dann habe ich die Kette im Internet gezeigt und wurde in diesem Moment von der echten Frau wieder selbst zum Produkt.

Ich treffe oft Leute, die darüber sprechen wollen, dass sie *all* das nicht mehr mitmachen wollen, meist machen sie eine wegwerfende Handbewegung in Richtung ihres Handys, das mit dem Display nach oben auf dem Tisch vor ihnen liegt, und wenn sie das sagen, erwarten sie in der Regel, dass ich etwas zu Shitstorms sage oder Mutmaßungen darüber anstelle, was Beauty-Filter mit der Psyche von jungen Frauen anstellen. Meist sage ich nichts, weil es meine Vorstellungskraft übersteigt, *all* das nicht mehr mitzumachen. Wo würde ich andere Frauen kennenlernen? Wo würde ich erfahren, was junge Mädchen in den Staaten dieses Jahr zu ihrem Prom tragen? Wie sollte ich mich anderen Frauen nahe fühlen, wenn ich nicht erfahre, welche Hautcreme Kendall Jenner benutzt? Es ist albern, es ist ein Spiel, und gleichzeitig ist es viel mehr als das. In die Produkte, die wir konsumieren, ist leider so etwas wie ein *Lebensgefühl* gewickelt, und auf all das zu verzichten, würde sich größer anfühlen als der Verzicht auf einen Thermo-Trinkbecher oder eine Hyperfixierung auf den neuen Song von Sabrina Carpenter. Es würde sich anfühlen wie der Verzicht auf Gemeinsamkeit und Gleichzeitigkeit mit anderen Frauen. Ich will darauf nicht verzichten. Ich will da sein, wo die Frauen sind. Zur Not zwischendurch als Produkt.

Jeden schlimmen Gedanken, den man über mich denken kann, habe ich schon über mich im Internet gelesen. Bei jedem Selbstzweifel, den ich habe, muss ich mich nicht fragen, *ob* jemand im Internet genau das schon für alle lesbar aufgeschrieben hat. Ich muss mich lediglich fragen, *wo* ich es finden könnte. Und wieso ich es suchen wollen würde. Der Ort, an dem ich nach Nudelrezepten suche und Urlaubsfotos meiner Freunde anschaue, ist auch der Ort, an dem ich über mich lese, was ich für ein furchtbarer Mensch bin. Ich lese nicht besonders viel davon. Und ich glaube, es schreiben nicht außergewöhnlich viele Menschen schlimme Sachen über mich ins Internet. Gemessen daran, wie Menschen sind. Gemessen daran, wie das Internet ist. Gemessen daran, wie ich bin.

Die Meinung der anderen ist in sozialen Netzwerken omnipräsent und dabei völlig egal geworden. Leute können ganze Karrieren daraus machen, *nicht* gemocht zu werden. Ein Klick ist ein Klick. Es ist egal, wie viele Leute deinen Beitrag ironisch an ihre Freunde weiterleiten, für alle außer dich. Paradoxerweise hilft mir ein Kommentar unter einem meiner Instagram-Fotos, in dem sich jemand darüber beschwert, dass ich völlig überschätzt werde, dabei, meine Miete zu bezahlen. Direkt oder indirekt. Es gibt unendlich viele Meinungen von unendlich vielen Menschen zu wiederum unendlich vielen anderen Menschen, ein sich ewig befruchtendes und dabei völlig überflüssiges System. Und zu jedem Zeitpunkt muss man darauf gefasst sein, sie lesen zu müssen. Der einzige Weg, Kritik im Internet zu sich zu ignorieren, ist, sich selbst nicht *wichtig* zu nehmen. Und selbst wenn man nicht gemeint ist mit dem Hass, den man im Internet jeden Tag liest, erweitert sich automatisch der eigene Horizont dazu, *wofür* Menschen grundsätzlich so gehasst werden können. Was den Menschen im Internet so auffällt. Worüber die Menschen sich offenbar ärgern. Die schönsten Frauen der Welt finden unter ihren Videos Kommentare von Leuten, die sich offen darüber ärgern, dass sie nicht ansatzweise so schön sind, wie alle offenbar denken. Es gibt Leute im Internet, die finden, Beyoncé kann nicht so gut singen, wie alle immer tun. Margot Robbie sei keine gute Schauspielerin und dazu noch eher hässlich. Kendall Jenner war laut dem Internet plötzlich zu dick für den Laufsteg. Serena Williams nicht so gut im Tennis, wie immer alle sagen. Man liest das und weiß auf eine Art, dass das Quatsch ist. Wütender Hass, wahrscheinlich von Männern, die verzweifelt die Anonymität des Internets brauchen, um das zu schreiben, was sie selbst nicht glauben. Sie wollen Aufmerksamkeit. Hör nicht auf die. Und trotzdem bleibt manchmal so ein Restzweifel, der Drang, die eigene Realität abzugleichen mit dem, was andere Verrückte ins Internet schreiben. Haben die recht oder ich? Und natürlich der Gedanke, den man vermeiden möchte, der sich aber dennoch manchmal ins eigene

Hirn schleicht: Wenn diese Frauen gehasst werden, angeblich zu dick sind, zu hässlich, zu untalentiert: Was bin dann *ich?*

WE ARE SO BACK

An einem vermeintlich egalen Morgen im Jahr 2024 nahm ich nach dem Aufwachen mein Handy in die Hand und bereute es wie jeden Tag. In mir existierte schon immer eine Fantasieversion von mir selbst, eine dieser Frauen zu sein, die *vergisst,* auf ihr Handy zu schauen. Es ist dieselbe Version, die vergisst, zu Mittag zu essen, und die nicht schon fünf Tage vor einer Zugreise auswendig weiß, von welchem Gleis sie abfahren wird. Ich bin diese Frau nicht. Ich liege im Bett und will sofort auf jede Nachricht, die mir geschrieben worden sein könnte, antworten. Danach möchte ich fremde Menschen im Internet, die mich ablenken. Besonders deprimierend ist es, wenn TikTok beim ersten Öffnen noch das Video zeigt, das man sich am Vorabend als letztes angeschaut hat, wie ein digitaler Walk of Shame zur eigenen immer kürzer werdenden Aufmerksamkeitsspanne. An diesem Morgen war der Bildschirm kurz schwarz, als ich die App öffnete, die Timeline stotterte, ich bilde mir ein, dass sie das nur tut, wenn über Nacht *besonders viel* im Internet passiert war und der Algorithmus einen kleinen Moment länger als sonst braucht, um sich zu überlegen, was ich als Erstes zu sehen bekomme. Das sind meistens Nächte, in denen in den USA die Grammys verliehen wurden oder der Superbowl stattfand, jemand versehentlich einen Nippel auf der Bühne gezeigt oder Taylor Swift ein Restaurant in New York besucht hatte.

An diesem Morgen stolperte das Laden der Timeline auf eine besonders vielversprechende Art. Irgendetwas *war* passiert, irgendetwas, was mich in wenigen Momenten von meiner eigenen Existenz ablenken könnte, noch vor dem ersten Kaffee, noch bevor ich einen eigenen Gedanken gefasst habe. Das erste Video, das mir angezeigt wurde, war das einer Frau in Unterwäsche auf einem Laufsteg. Ihre Haut war gebräunt und glänzte, mit langen Schritten lief sie auf die Kamera zu, dann breitete sie mit einer Mischung aus Güte und Fröhlichkeit die Arme aus. Diese Frau war fit, sie war glücklich, sie hatte den perfekten Push-up-BH gefunden. Die *Victoria's Secret Fashion Show* war zurück.

2019 hatte die Marke angekündigt, auf die berühmten Fashion Shows in Zukunft zu verzichten. Die Relevanz der Shows hatte in den vergangenen Jahren immer weiter abgenommen, es war die Zeit des politischen Kampfes, der Shitstorms wegen fehlender Frauenquoten, der öffentlichen Empörung im Internet, wenn Unternehmen nicht zweifelsfrei klarmachten, dass sie sich deutlich links von der Mitte positionierten. Die Stimmung war ernst, das politische und kulturelle Klima wurde zu einem, in dem eine Unterwäsche-Firma größere Schwierigkeiten hatte als zuvor, sehr schlanke Frauen in Push-up-BHs über den Laufsteg zu schicken und dafür etwas anderes als Enttäuschung und Empörung zu ernten. Dazu hatte der damalige Marketingchef Ed Razek in einem Interview umständlich erklärt, dass das Publikum kein Interesse daran hätte, dickere Frauen auf dem Laufsteg zu sehen, was Victoria Secret den Ruf einbrachte, irreparabel gestrig zu sein. Die Unterwäsche, die in den Filialen US-amerikanischer Shopping-Malls angeboten wurde, galt plötzlich nicht mehr als sexy, kokett und hedonistisch, sondern als ordinär und überflüssig. Sie war plötzlich das Symbol für eine Zeit, von der eine junge, weibliche Teilöffentlichkeit zu hoffen schien, dass sie für immer hinter ihr lag.

Nur fünf Jahren später war diese Zeit zurück, und vielleicht wussten die Akteure dieses Wandels jetzt noch viel besser, wie sie dasselbe Produkt gewinnbringender verkaufen konnten. Das Topmodel Barbara Palvin wurde 2024 im Backstagebereich der Fashion Show gefragt, was sie nach dem Job endlich wieder essen wolle, worauf sie verzichtet habe zugunsten ihres Modelkörpers. Palvin reagierte empört: sie habe gegessen, worauf immer sie Lust hatte. *Diese Art von Fragen, im Jahr 2024?* Die Verantwortlichen hatten die fünf Jahre Pause genutzt, um etwas Wirkungsvolles zu orchestrieren. Die Empörung hat die Seite gewechselt. Nicht sie waren versessen auf Dünnheit, die Öffentlichkeit war es, die nicht aufhören konnte, die Models anzustarren. Plötzlich war nicht mehr die Fashion Show mit den unerreichbar schönsten Frauen der Welt das Problem, sondern der Umgang mit ihnen. Noch 2018 hatte Palvins Ehemann, der Entertainer Dylan Sprouse, auf dem roten Teppich der Show mit einer vor Fett triefenden Burgertüte von der Fast-Food-Kette *Shake Shack* posiert. Es war ein harmloser Witz, stellte sich in die Tradition eines ikonischen Fotos von Gisele Bündchen von 2002, auf dem sie backstage der Victoria Secret Show in ein Stück Pizza biss. Endlich durfte man wieder essen.

Die Zeiten hatten sich verändert. Models machten keine Witze mehr über fettiges Fast Food. Ihre Körper dürften weiterhin wunderschön sein, aber sie dürften nicht wunderschön sein *wollen.* Der Körperkult der Zweitausender war zurück, aber man durfte nicht mehr dabei erwischt werden, ihn zu betreiben.

Die *Victoria's Secret Fashion Show* war alles, was Popkultur jetzt wieder sein durfte: sexy, belanglos und ein bisschen skandalös. Es ging wieder um schöne Dinge, oder mindestens um Dinge, die viele Menschen schön fanden. Die Frage, ob das fair, richtig oder gerecht war, war viel weniger relevant als die Frage, ob all das Spaß machte. Die ironische Leichtigkeit der Zweitausender schien wieder in die Popkultur zurückzukehren, vielleicht auch aus der Ernüchterung über die gefühlte Erfolglosigkeit vieler PC-Bewegungen heraus. Dior hatte ein Hunderte Euro teures Feminismus-Shirt verkauft, Beyoncé hatte für ihre Empowerment-Marke Ivy Park Kinderarbeit in Kauf genommen, Leonardo di Caprio setzte sich zwar für Umweltschutz ein, datete dafür mittlerweile gerade Volljährige. Wenn die moralischen Entbehrungen der letzten Jahre offenbar ohnehin nichts gebracht hatten, konnte man ja wenigstens auch wieder zurückgehen zu dem, was wirklich Spaß macht: dünn sein wollen, reich sein wollen, rauchen. Die Engel waren also wieder auf dem Laufsteg. *We are so back.*

Innerhalb weniger Minuten sah ich Dutzende Videos von den Supermodels in Unterwäsche, sie laufen auf eine besonders energische Art, die Beine kommen so kraftvoll auf dem Boden auf, dass die Erschütterung die Oberschenkel in Bewegung versetzen müsste, es passierte aber ... *nichts.* Nichts bewegte sich, alles war fest, trainiert, an Ort und Stelle. Ich fühlte mich rückständig dafür, dass es mir überhaupt auffiel. Die Engel strahlten Los-Angeles-haft (freundlich, aber nicht nett) in die Ferne hinter der Kamera. Ich war erstaunt, wie schnell sich mir die Fantasie, die dort verkauft wurde, erschloss: Die Haut dieser Frauen glänzte nicht, sie *leuchtete.* Sie waren dünn, aber auch *gesund.* Sie hatten einen *glow.* Sie hatten nicht gehungert, sie hatten auf ihre *Körper gehört.* Diese Frauen beißen morgens genussvoll von einem Croissant ab und vergessen es dann auf der Küchentheke ihres Lofts, weil sie *gedanklich schon im ersten Termin sind.* Sie leben ihr *bestes Leben.* Sie essen *clean,* erlaubten sich aber, zu *sündigen.* Diese Frauen haben Männer, die sie vergöttern, sie zwingen sich nicht, wenn sie keine Lust auf Sex haben, haben aber ohnehin ständig Lust auf Sex. Sie bekommen ohne Anlass teure Armbanduhren geschenkt und verlegen sie zwei Wochen später, ohne weiter darüber nachzudenken. Wie in jeder Parfümwerbung wurden diese Frauen in dem Moment, in dem ich sie mir anschaute, zu einer Projektionsfläche für *meine* Sehnsüchte. Sie stolzierten, ich starrte. Das waren keine Models, das waren keine Frauen, das waren nicht mal *Menschen.* Das waren Sehnsuchtskonzepte für meine Psyche. Ehe ich Gelegenheit hatte, aktiv darüber nachzudenken, ob ich diese Frauen sein wollte, hatten meine Gefühle bereits auf sie reagiert. Die Differenz zwischen ihnen und mir war der Grund für ihr Glück und mein Unglück.

Ich hatte eine viszerale Reaktion auf die Engel, die bereits wieder vorbei war und ihren Schaden angerichtet hatte, ehe ich überhaupt dazu kam, mich dafür zu schämen. Die Fashion Shows dieser Unterwäsche-Marke hatten in meinem Leben bisher an keinem Punkt eine Rolle gespielt, ich hatte also nicht damit gerechnet, dass es an diesem Morgen anders sein würde. Als ich eine Teenagerin war, waren die Shows der Inbegriff von Girl-Popkultur gewesen, dennoch oder deswegen hatte ich mich nie dafür interessiert. Ich wusste, wofür diese Shows standen. Ich wusste, was sie uns erzählen wollten.

An diesem Morgen allerdings tat ich das, was ich noch nie getan hatte. Ich sah mir die Körper der Topmodels genau an. Ich studierte ihre strahlenden Gesichter. Ich betrachtete das Reflektieren ihres Highlighters auf den Wangenknochen, der erotisch schimmerte, wenn das Licht der Bühnenstrahler sie im richtigen Winkel erwischte. Ich starrte ihre Haare an und dachte an das Wort *seidig*. Ich las die Kommentare anderer Frauen unter den Videos, und ich tat das vor allem, weil ich mich an die unmittelbare Möglichkeit gewöhnt hatte, eine anonyme und nicht weiter definierbare Menge fremder Menschen dazu zu befragen, ob ich die richtige Meinung hatte zu dem, was wir da alle gerade sahen. Ob ich weit genug gedacht hatte. Ob mir weniger aufgefallen war als den anderen. Oder mehr. Ob ich das, was ich dazu dachte, denken durfte. Ich bin süchtig nach der Bestätigung, und ich scheine auch süchtig zu sein nach dem Gefühl der Ernüchterung, das sich einstellt, wenn ich lernen muss, dass der Zeitgeist schon wieder weitermarschiert ist. Unter dem Video der *Engel* las ich Erwartbares: *Ich brauche ihren Körper, einen Tag so aussehen wie sie, und all meine Probleme wären gelöst,* oder *what's her workout routine,* was die Art von magischem Denken darstellt, die Frauen befällt, wenn sie unter sich sind: Wenn ich jeden Tag dieselbe Menge an Kniebeugen mache wie diese Multimillionärin, sehe ich dann bald auch aus wie sie?

Einer der obersten Kommentare – und damit einer, der besonders viel Zustimmung von anderen bekam und mir deswegen schneller angezeigt wird als die weniger populären Meinungen – lautete in etwa so: *ich bin neidisch auf ihre Bauchnabel.* Es kann magisch sein, sich mit einer Unmenge an anderen Frauen in einem anonymen Raum im Internet zu unterhalten. Aber es kann auch ein sich selbst befruchtendes System sein. Nie im Leben wäre ich ohne den Hinweis einer anderen Frau mit anderen Unsicherheiten auf die Idee gekommen, auf die Bauchnabel der Models zu gucken. Nie im Leben hätte ich im echten Leben miterlebt, dass mir eine fremde Frau ohne Anlass davon erzählt, dass es gute oder schlechte Bauchnabel zu geben scheint. Männer nutzen die Anonymität des

Internets, um fremde Frauen zu beleidigen, Frauen nutzen die Anonymität des Internets, um sich selbst zu beleidigen.

Es war ein neuer Gedanke, eine neue Unsicherheit, die sich in diesem Moment in mein Leben schlich. Der Moment erinnerte mich an Dutzende anderer Momente, in denen ich anderen Frauen beim Existieren in sozialen Netzwerken zusah und dabei zufällig lernte, wofür man sich selbst und sein eigenes Aussehen auch noch kritisch hinterfragen kann. Es sind kleine Momente, eingewickelt in Videos, in denen es eigentlich um etwas anderes geht. Es sind die Make-up-Tutorials, in denen eine YouTuberin aufwendig ihre Nase konturiert, damit sie schmaler ist, es ist das virale Video einer Frau, die sich nahe einer Panikattacke an andere Frauen im Internet wendet, weil sie wissen will, ob es *normal* sei, dass ein Teil ihres Bauches im Sitzen über den Hosenbund quillt, es sind Influencerinnen, die abnehmen und dann darüber sprechen, dass sie sich jetzt *erlauben* können, kurze Hosen zu tragen. Es sind die Momente schlecht vertuschter Diäten, wenn eine Content Creatorin erklärt, dass sie immer nur die Eiweiße für ihr Omelett benutzt oder routiniert die obere Schicht Brot ihres Sandwiches entfernt, das sie gerade geliefert bekommen hat. Outfit-Videos, in denen Frauen sich selbst filmen und man ihnen anmerkt, dass sie nicht ihr Outfit, sondern ihren Körper zeigen wollen.

Man ärgert sich darüber, dass sie in der Frontkamera ihres Handys ihre Silhouette begutachten, man findet es eitel und angeberisch oder desillusioniert und peinlich, je nachdem, wie deren Körper im Vergleich zum eigenen aussieht. So oder so findet man es überflüssig. Wann ist man selbst das letzte Mal an einem Spiegel vorbeigelaufen, ohne reflexhaft den eigenen Körper zu bewerten? Und man kann sich diese fremden Nasen, Bäuche und Beine ansehen und fragen: wenn diese Frauen das hassen, liege ich dann falsch, wenn ich mit mir zufrieden bin?

Die Bauchnabel der Frauen auf dem Laufsteg waren eingebettet in flache, muskulöse Bäuche und sahen aus wie der Buchstabe i, der vertikal lang über ihren Bauch ragte. Ich wusste, dass mein Bauchnabel nicht so aussah, hob aber dennoch die Bettdecke, um nachzusehen. Mein Bauchnabel sah genau so aus, wie ich ihn in Erinnerung hatte, dachte ich, als ich die Decke wieder auf mich fallen ließ. *Spannend,* dachte ich weiter. Mein Bauchnabel sah *komisch* aus. Nicht so wie die Bauchnabel der Frauen auf dem Laufsteg. Nicht so straff, nicht so in die Länge gestreckt. Nicht so, als könnte mein Bauch der Bauch einer Frau sein, die eine Projektionsfläche für die Sehnsüchte anderer Frauen würde.

Ich erschrak nicht wirklich darüber. Komplexe kommen und gehen. Nichts, was ein paar Wochen Recherche im Internet und der Kauf einer ominös formulierten Creme aus Südkorea nicht richten könnten. Ich erschrak aber darüber, dass ich plötzlich als erwachsene Frau ein Stück Popkultur konsumierte, von dem ich niemals gedacht hatte, dass ich irgendwann Zielgruppe sein würde. Der Ort, der mir immer wieder sagte, dass ich gut sei, so wie ich bin, war auch schon immer der Ort gewesen, an dem mir andere Frauen zeigten, was wiederum an ihnen überhaupt nicht gut war. Sie meinten damit natürlich niemals mich oder eine ihrer anderen Zuschauerinnen, es wäre absolut undenkbar, im Internet anderen Frauen zu sagen, dass sie sich zu verändern haben. Nur man selbst müsse sich verändern, ein wenig abnehmen, ein wenig schöner und schlauer werden, ein wenig erfolgreicher im Job und Liebesleben. Du bist super, so wie du bist, nur ich muss alles an mir verändern.

Die wiederaufkommende Nullerjahre-*Girly*-Kultur würde in den Jahren danach *die* vorherrschende popkulturelle Bewegung sein. Frausein würde ein kapitalistischer Treffpunkt werden, ein Anlass zum Kaufen, die Promo-Phase zum neuen *Barbie*-Film. Es würde die Art und Weise prägen, mit der junge, gut aussehende Frauen sich im Internet selbst darstellen würden, um mit postironischer Pose das nachzukaufen, was eine Handvoll Influencerinnen zu einem neuen *Trend* erklärt hatten, nachdem Hailey Bieber oder Kylie Jenner oder eine andere Frau aus L.A. erklärt hatte, dass sie *obsessed* mit etwas war, das könnte ein Lippenöl sein oder ein Pasta-Rezept, genau wie ein besonderes paar Flip-Flops oder ein Conditioner für glänzendes Haar.

We are so back. Das erste Mal, als das alles aufkam, das Dünnsein, das *Girly*- und Ironischsein, *girlhood* als popkultureller Ort, war ich zu sehr damit beschäftigt, *anders zu sein als andere Frauen,* um daran teilzuhaben. Jetzt war ich erwachsen und hatte eine vielschichtige Freude daran, dabei zuzuschauen, wie die Welt, von der ich früher kein Teil war, nochmals auf mich zuraste.

Ich kann also mit Anfang dreißig einen neuen Komplex freispielen, plötzlich über die *Form meines Bauchnabels* nachdenken, als wäre das eine gute Art, meine Lebenszeit zu verbringen. In mir stellt sich immer noch das Gefühl von Selbstoptimierungseuphorie ein, das ich immer dann spüre, wenn ich realisiere, dass es nach all den Jahren noch neue Versionen gibt, die ich aus mir rausverbessern kann. Natürlich würde ich lieber in einer Welt leben, in der es all das nicht gäbe: superdünne Frauen auf Laufstegen, in sexy Dessous, für eine Marke, die heißt wie eine Frau. Und die doch Männern gehört. Aber es gibt diese Dinge eben. Und manchmal treffen sie einen als Frau genau dann, wenn man aus irgendwelchen Gründen für irgendeinen Teil davon empfänglich zu sein scheint, und plötzlich denkt man daran, wie albern es ist, dass das was mit einem macht. Dass man darin plötzlich eine Version von sich entdeckt, die man anprobieren möchte, so, wie man es sein Leben lang gemacht hat, seit man ein Mädchen war. Es geht dabei um eine Idee, nicht um eine konkrete Kopie. Ich wollte nicht plötzlich ein Laufstegmodel sein, ich wollte ihr Leben auf meines anwenden, mir etwas abschauen von ihr und in mein Leben integrieren. Das würde nicht passieren, wenn ich keine Unsicherheiten hätte, solche Modenschauen würden nicht existieren, wenn Frauen keine Unsicherheiten hätten.

Ich denke über die Frau nach, die ich sein könnte, wenn ich einen schöneren Bauchnabel hätte. Es ist eine Fantasie, ein Gedankenexperiment, als sei mein Leben plötzlich eine Parfümwerbung und ich die Frau im Kleid, im Wind am Strand. Ich kann die Frau anprobieren, die ich wäre, wenn mir mein Bauchnabel ab jetzt absolut wichtig wäre. Würde ich *mich selbst* dann wichtiger nehmen? Wäre ich dann eher ein *girl's girl,* weil ich anderen Frauen weniger das Gefühl geben würde, dass ich sie für ihre eigenen Komplexe verurteile? Ich kann diese Frau ausprobieren. Oder ich kann die Frau werden, die sich so lange einredet, sie hat den schönsten Bauchnabel aller Zeiten, bis sie es glaubt. Die Frau, die den Gedanken ignoriert, bis er nicht mehr im eigenen Kopf nachhallt. Das Verheißungsvolle an einem Ort, an dem Frauen ständig eingeredet wird, dass sie sich zu verändern haben, ist, dass man sich verändern *kann.* Es ist Teil des Tricks, dass sich das wie ein Versprechen anfühlt: »Bald geht ein Leben los, das du verdient hast, wenn du dir nur etwas Mühe gibst!« Heute ist es mein Bauchnabel, morgen die Menge an Wasser, die ich täglich trinke, in ein paar Wochen die Frage, ob ich gut darin bin, einen schimmernden Lidschatten zu verblenden. Ich schaffe es nicht, mich dagegen zu wehren, dass das Ganze aufregend und schrecklich gleichermaßen ist.

FRANCIS FORD COPPOLA IST FÜR MICH IN ERSTER LINIE DER GROSSVATER VON ROMY MARS COPPOLA

Mitte der 2020er sieht das Internet das Gesicht einer neuen jungen, wunderschönen Frau. Es passiert selten, dass man *weiß,* dass man sie noch nie gesehen hat, nicht einmal versehentlich, beim nebensächlichen Scrollen durch irgendwelche Timelines. Dies war das erste Video ihres Teenager-Lebens. Das erste Mal im Internet. Ihre Eltern hatten es bisher verboten. Jetzt filmt sie sich dabei, wie sie in einer lichtdurchfluteten Küche versucht, Nudeln zu kochen. Das Video dauert nur 49 Sekunden, und es ist nur wenige Stunden online, ehe es wieder gelöscht wird. Es wurde für die Nachwelt kopiert und dann weiterverbreitet. Genügend Zuschauer hatten wohl geahnt, dass dieses Video potenziell skandalös werden könnte.

Das Mädchen in dem Video ist Romy Mars Coppola, Enkelin eines berühmten Regisseurs. Tochter einer berühmten Regisseurin und eines Rockstars. Ihr

Name genau wie ihr Stammbaum klingen wie die Art von Nepotismus, die man bereit ist, zu ertragen – endlich keine Tochter eines Models, das auch Model wird. Endlich die Erbin einer künstlerisch hochgradig seltsamen Familie, die offenbar auf dem besten Wege zu sein schien, selbst hochgradig seltsam zu werden.

Die 49 Sekunden sind ein Fiebertraum: Romy, damals fünfzehn Jahre alt, erklärt, dass ihre Eltern (Regisseurin Sofia Coppola und Phoenix-Sänger Thomas Mars) ihr verboten hätten, Social Media zu nutzen. Sie habe Hausarrest, erklärt sie weiter, weil sie versucht habe, mit der Kreditkarte ihres Vaters einen Helikopter zu chartern. Das Ganze rattert sie runter mit einer selbstreflektiven Görenhafigkeit, die es einem schwer macht, sich über diese in viele Richtungen empörende Aussage wirklich zu empören. Romy ist auf ihre Weise so charismatisch, dass man sich sofort in ihrer Welt befindet. In Romys Welt ist es kein großes Vergehen, einen Helikopter zu chartern, es ist eine jugendliche Eskapade. Wir glauben ihr, denn es ist ihre Welt, wir leben nur in ihr. Romy hat ihre blonden langen Haare zu einem Pferdeschwanz gebunden, trägt ein übergroßes T-Shirt und ist unerträglich schön, auf eine Art, die man bei Kindern von berühmten Menschen selten sieht. Showstopping schön, *ich halte auf der Straße an* schön. Ich chartere einen Helikopter und das Internet wird mich lieben schön. Ihre Eltern wollten nicht, dass sie nur wegen ihrer berühmten Eltern auch berühmt würde – ein typisches Hollywood-Lippenbekenntnis, denn Romy hatte ihre erste Schauspielrolle ein Jahr später in einem Film von ihrem Großvater. Und während sie diese Floskel ausspricht, streckt sie einen Grammy ihres Vaters in die Luft, lächelt dann lakonisch in die Kamera, während sie den Preis wie ein Baby in den Schlaf wiegt. Sie wolle in diesem Video erklären, wie man Penne Vodka koche, kenne aber den Unterschied zwischen Knoblauch und Zwiebeln nicht. Sie lehnt sich gelangweilt zur Kamera, nimmt ein Handy in die Hand und googelt Fotos von Zwiebeln. *Das* sei also eine Zwiebel, sagt Romy nach ihrer kurzen Recherche zufrieden. Sie hält das Foto einer Schalotte in die Kamera.

Dann tritt *Ari* auf, der Partner ihrer Babysitterin. Romy bezeichnet Ari und ihre Babysitterin als ihre Ersatzeltern, weil ihre echten Eltern nie zu Hause seien. Während er im Flur stehend einen Hund streichelt, haben die beiden kurz einen Schlagabtausch, der geistreich und ironisch ist, man ahnt, dass keiner von beiden irgendetwas ernst nimmt: Ari nicht Romy, Romy nicht Ari, beide den Hausarrest nicht. Romy nennt die Sache mit dem Helikopter *Fiasca* statt *Fiasco. It's women's history month,* erklärt sie, ehe das Video endet. Ein Witz, der einen fast nervt, weil er schnell und klug ist, nebensächlich und nihilistisch. Sie ist also nicht nur schön, sondern auch schlau, und wieso das besser wäre, erschließt sich einem auch nicht. In Teil zwei würde sie dann die Pasta kochen, verspricht sie. Das Video endet. Teil zwei ist nie online, Teil eins aber viral gegangen.

Es ist wichtig, dass Romy jung, weiß und wunderschön ist, denn niemandem verzeiht man *Girlhood*-Unverschämtheit lieber als jungen, weißen, wunderschönen Frauen. Noch wichtiger ist vielleicht, dass sie das ist, was man eine *natürliche Schönheit* nennt, sie muss sich nicht den Vorwurf gefallen lassen, dass ihre Weiblichkeit eine Performance sei oder ein verzweifelter Versuch. Sie ist mühelos schön. Wie eine Schauspielerin. Wie eine Französin. Wie das Kind einer Jahrhundert-Regisseurin und eines Grammy-Gewinners.

Romy bricht ihre neureiche Unverschämtheit nicht ironisch, sie schämt sich nicht für sie, vor allem nimmt sie mögliche moralische Kritik daran nicht vorweg. Sie baut eine Welt, die genauso groß ist wie sie selbst: nur sie, ein Nudelrezept und ein Helikopter, den sie fast erfolgreich gechartert hätte. Sie erbaut eine Welt, die aus allem besteht, was sich in nächster Nähe zu ihr befindet, und erklärt diese für allgemeingültig – das ist der Stoff, aus dem It-Girls gemacht sind. Frauen, die auf scheinbar unerklärliche Weise ihre Umwelt verzaubern, ohne eine besondere Fähigkeit zu besitzen und vor allem ohne sich besonders große Mühe zu geben. Sie sind einfach *da,* der Inbegriff von Jugend. Ich erkannte in ihr sofort die Art von Mädchen, das ich in der Schule zu meinem Geburtstag eingeladen hätte, obwohl völlig klar gewesen wäre, dass sie nicht kommen würde. Ich hätte ihr die Hälfte meines Pausenbrots bei einem Schulausflug angeboten und mich geschämt, wenn sie freundlich abgelehnt hätte. Ich hätte einmal im Halbjahr in einer Stunde Kunst oder vielleicht Politik in einer Diskussion etwas gesagt, was sie bemerkt hätte, und wir hätten uns einen kurzen Blick zugeworfen, nur den Bruchteil einer Sekunde lang, und dennoch hätte ich noch Monate danach gedacht, wir hätten eine *spezielle Verbindung*. Romy hatte dieses gewisse Etwas, das man nicht genau benennen kann, die Personifizierung von dem, was Regisseure seit der Erfindung des Stummfilms versuchen, in ein Bild zu packen. Das geborene It-Girl, die menschliche Zusammenfassung von allem, was Leute an Assoziation in den Begriff *girlhood* stopfen, wenn sie ihn im Internet benutzen.

Romy Mars Coppola hatte in 49 Sekunden ein Gefühl verkörpert, das ihre Mutter in sechs Spielfilmen versucht hatte, zu erklären. Es war die zweite Coppola-Frau, die Frauen in sozialen Netzwerken zeigte, wonach sie sich sehnten, ohne es zu wissen.

Anfang der Zweitausender gründeten sich in Foren, Blogs und den ersten sozialen Netzwerken die ersten

Fandoms, Zusammenkünfte aktiver Hyperfans, die alles dafür taten, jede noch so kleine Information zu ihrem Idol zu digitalisieren und dann zu verbreiten. Meist waren diese Idole Schauspieler aus Hit-Serien oder Mitglieder von Boy-Bands, die auf Welttour gingen, international erfolgreiche Stars, die auf roten Teppichen standen oder Stadien füllten. Einer der erfolgreichsten Fan-Blogs dieser Zeit auf Tumblr war dennoch der, der sich der Arbeit von Sofia Coppola widmete, damals eine Nachwuchsregisseurin mit berühmtem Nachnamen, die gerade erst ihren zweiten Film veröffentlich hatte. Coppola war damals kein klassisches It-Girl, sie war nicht berühmt dafür, auf Partys zu gehen, führte keine öffentlich skandalösen Beziehungen. Sie war nicht schillernd, auch wenn man sie beeindruckend fand, sie hatte nicht *das gewisse Etwas,* das ihre Tochter zwei Jahrzehnte später auf TikTok zeigen würde. Aber sie tat das, was in den neu entstehenden sozialen Netzwerken fast genauso beliebt zu sein schien: sie gab eine eher theoretische Anleitung zur Selbstdarstellung. Sofia Coppola wusste genug darüber, was das gewisse Etwas war, um es anderen Frauen überzustülpen. Coppola wurde so etwas wie ein Meta-It-Girl, ein Mastermind hinter dem Lebensgefühl junger Frauen, das sich bisher vor allem dadurch ausgezeichnet hatte, nicht erklärt werden zu können. Caroline Powell, die Betreiberin der größten Sofia-Coppola-Fanseite auf Tumblr, erklärte 2023 in einem Essay, wie es zu der überwältigenden Präsenz der Regisseurin auf Social Media kam. Anfänglich zurückhaltendes Interesse an den ersten Filmen wurde schnell zu einem Fankult, Powell trieb manisch jedes Magazin auf, in dem Coppola abgedruckt worden war oder ein Interview gegeben hatte, um all das als Scan unmittelbar zu posten und von teilweise Hunderttausenden von Leuten verbreiten zu lassen. Alles, was Coppola zu den Frauen in ihren Filmen, zum Frausein allgemein sagte, wurde behandelt wie eine unverzichtbare Information auf dem Weg zur Selbstfindung als junge Frau. Coppola-Content auf Tumblr hatte eine spezielle Ästhetik, die sich schon damals abhob von dem, was Fanseiten posteten. Das hatte zum einen damit zu tun, dass Coppola eben *nur* Regisseurin war, es gab also weniger Paparazzi-Fotos als bei Hollywood-Schauspielerinnen und keine Screenshots von alten Myspace-Seiten. Außerdem war sie Anfang vierzig und damit zu alt, um noch Party-Jugendsünden von ihren Fans ausgraben lassen zu können. Ein Großteil der Inhalte, die man zur Person Coppola finden konnte, waren analog oder ab Werk nicht glamourös genug, um sie ohne Kontext online zu stellen. Powell beschreibt, wie sie regelmäßig Magazine auseinanderschnitt, um digitale Coppola-Collagen erstellen zu können. Nicht unbedingt, weil es cool aussah, sondern, weil es nichts anderes gab.

Die Filmkritikerin Emily Yoshida hat in der New York Times über Sofia Coppola geschrieben: »Ihre Filme sorgen dafür, dass man sich jung fühlt, wunderschön und traurig.« Coppolas Filme erzählen von Frauen, die in goldenen Käfigen leben und in ihrer hysterischen Traurigkeit übernatürlich wirken. Diese Frauen beschweren sich nicht, aber sie leiden, sie leiden an ihrem eigenen Frausein, an der Nähe zu Männern und der Ferne zu anderen Frauen, unter der Liebe und der Einsicht, dass das, was sie sich von der Liebe zu einem Mann erhofften, nicht in Erfüllung geht. Und in jedem ihrer Filme versuchen diese Frauen sich früher oder später der Frage zu widmen, ob der Käfig, in dem sie leben, nicht einer ist, den sie sich in Wahrheit zumindest ein bisschen selbst ausgesucht haben. Coppolas Frauen sind seit Jahrzehnten schon Frauen, die gar nicht erst den Versuch unternehmen, nicht unter ihrer Weiblichkeit zu leiden, sondern vielleicht so was wie einen Vorteil daraus zu schlagen. All das Leid, das mit dem Frausein einhergeht, muss doch auch für irgendwas gut sein.

Coppolas Filme erzählen *den* Konflikt von Frauen in sozialen Netzwerken, bevor es sie überhaupt gab: Welche Frau kann ich sein, welche Frau will ich sein und wie viel Arbeit wird es mir bereiten, einen Kompromiss zwischen diesen beiden Versionen zu finden? Frauen versuchen, dazuzugehören, ohne das Spiel zu sehr mitzuspielen, sie versuchen, zu konsumieren, ohne ein Konsumopfer zu sein, sie versuchen, sich schön zu fühlen, ohne *zu* schön zu sein, sie versuchen, andere Frauen zu bewundern, ohne sich zu sehr mit anderen zu vergleichen. Es ist Gleichzeitigkeit und Widersprüchlichkeit, Selbstlosigkeit, die in Selbstaufgabe mündet, bis sie sich mit Egoismus abwechselt. All diese Dinge kommen zusammen und ergeben einen Moment, in dem ich über die Form meines Bauchnabels nachdenke und mir dabei *nicht* völlig bescheuert vorkomme.

Coppola hatte zur Zeit ihres Tumblr-Erfolgs drei Filme veröffentlicht. In *Lost in Translation* schickt sie Charlotte (gespielt von Scarlett Johansson) nach Tokio und in eine unglückliche Ehe, sie beginnt den Großteil ihrer Zeit mit dem deutlich älteren Schauspieler Bob (Bill Murray) durch die japanische Hauptstadt zu tingeln. Der Film ist der bildliche Kulturschock zweier erschöpfter US-Amerikaner, die im leuchtenden, rastlosen und hysterisch wirkenden Tokio von ihren eigenen Gefühlen abgelenkt werden. Coppolas zweiter Film, *Marie Antoinette,* erzählt das Leben der französischen Königin Marie Antoinette (Kirsten Dunst). Antoinette, gerade mal eine Teenagerin, als sie an den französischen Königshof kam, wird als verzogene und gleichzeitig lebensfroh-charismatische Göre gezeigt. Der Film ist anders erschöpfend als *Lost in*

Translation, erzählt aber die gleiche Leere, den gleichen goldenen Käfig, spielt mit Bildern der ordinären Poppigkeit, die man aus der *Girly*-Kultur der Nullerjahre bereits kannte, geworfen in die Rokoko-Ästhetik aus der Zeit vor der Französischen Revolution. Marie Antoinette als Frau, die wohl einen Helikopter gechartert hätte, wenn es ihr möglich gewesen wäre.

Vor allem war es aber Coppolas erster und kommerziell am wenigsten erfolgreicher Film, der auf Tumblr dafür beliebt war, eine tieftraurige Gegenkultur zum damals vorherrschenden *Girly*-Kult zu beschreiben. *Virgin Suicides* erzählt die Geschichte von fünf Schwestern, die sich aus Weltschmerz nach und nach in den Selbstmord stürzen. Die Geschichte passte so perfekt in das theatralische Lebensgefühl, das auf Tumblr täglich versucht wurde zu formulieren, dass er so was wie der heimliche Content-Hit wurde. *Virgin Suicides* erschien 1999 und war damit Anfang der 2010er schon alt, als der Coppola-Internet-Hype seinen ersten Höhepunkt erreichte. Alt für Internet-Verhältnisse, alt für Teenager, die im Kopf ohnehin gerne überschlagen, *ob sie schon geboren waren,* als dieses und jenes auf der Welt passierte, als sei ihre Geburt der Dreh- und Angelpunkt der Zeitgeschichte. Coppola-Content hatte den Retro-Look, weil er den Retro-Look haben *musste,* lange bevor retro relevant war.

Coppolas It-Girl-Status ebbte kurz ab, als Tumblr Mitte der 2010er an Einfluss verlor, kehrte aber wenige Jahre später auf TikTok zurück, als eine neue Generation junger Frauen neue bildliche Wege suchte, die eigene *girlhood* zu romantisieren, und einen Drang verspürte, eine Selbstbeschreibung zu finden an einem Ort, der nichts mehr liebte als Selbstbeschreibungen. Der selbstbezogene Nihilismus und die traurige Erotik der Coppola-Frauen waren wieder da. TikTok wurde *die* Plattform, auf der man sich wieder der Frage widmen konnte, wer man eigentlich gerne wäre, während auf Instagram die lästige Behauptung im Raum stand, man müsse sich zeigen, wie man tatsächlich ist. TikTok wurde der Ort, an dem junge Frauen Anleitungen gaben dafür, wie man seinen Alltag *romantisiert,* wie man in seine *göttliche feminine Energie* kommt, wie man *hotter* wird, damit Männer (die man natürlich nicht will) einem zu Füßen liegen. Die *Victoria's Secret Fashion Show* war aus demselben Zeitgeist heraus wiedergeboren worden, aus dem Romy Mars Coppola Anerkennung für ein fast geglücktes Nudelvideo erhielt. Man war wieder weniger daran interessiert, die Welt zu einem guten Ort zu machen, stattdessen wollte man lieber wieder darunter leiden, dass sie es nicht ist. Die Nullerjahre waren zurück. Die Band Paramore feierte ein Comeback, trat mit Billie Eilish auf und war anschließend Vorband von Taylor Swift, Indie-Sleaze wurde als Ästhetik wieder relevant, die Anfang zwanzigjährige Olivia Rodrigo veröffentlichte ein Album, das klang und aussah wie etwas, was Avril Lavigne Mitte der Zweitausender hätte machen können. 2023 postete Rodrigos Stylistin ein Foto der Musikerin aus der *Lost-in-Translation*-Stadt Tokio, auf dem sie Sofia Coppola verlinkte. Rodrigo trug ein Vintage-Shirt der Marke *milkfed,* für die Coppola ein viertel Jahrhundert zuvor Klamotten designt hatte. Gen-Z-Girls kauften sich Digitalkameras und versuchten, die Ästhetik, die Coppola unfreiwillig im Internet mitgeprägt hatte, zu kopieren. Coppola-Content hatte 2011 auf Tumblr teilweise Hunderttausende von Shares und Likes. Coppola-Content in den 2020ern auf TikTok zum Teil Millionen.

Romy Mars veröffentlichte 2025 ein weiteres Video, diesmal war es 3 Minuten und 28 Sekunden lang und wurde nicht wieder gelöscht. Es war das Musikvideo zu ihrem Song *A-Lister,* der selbst von Männern in Musikforen, die leicht angesäuert darauf hinwiesen, dass sie ja Tochter eines Popstars war, für erstaunlich gut befunden wurde. *A-Lister* ging zuerst auf TikTok viral, wurde dann von dem Popkritiker der New York Times zum *Song der Woche* erklärt, und schließlich lehnte Romy sich noch in den Nepotismus mütterlicherseits und ließ Sofia Coppola Regie führen bei dem Musikvideo zum Song. Das Video wirkt in manchen Momenten wie eine etwas uninspirierte Persiflage auf einen der Filme ihrer Mutter: analoge B-Roll von Schminktischen und Cremetiegeln, Romy, die gelangweilt in die Kamera schaut, während sie geschminkt und frisiert wird, Strobo-Licht-Passagen von der jungen, schönen, schlanken Frau, die sich in die Arme eines jungen, schönen, schlanken Mannes schmiegt. *A-Lister* erzählt die selbstzerstörerische Liebesbeziehung zu einem Hollywood-Star, von Kokain, Selbsthass, Zynismus und Geldgier, von Privatjets und oberflächlichem Sex. So, wie die Engel von Victoria's Secret zurückkamen, kam auch zurück, dass Frauen sich zumindest in der Kunst wieder offen zu ihren vielleicht unfeministischen Sehnsüchten in der Liebe bekannten.

I love this golden sunny West Coast
Sceney, plastic world
I miss being a real girl, sure
But I'm not a real girl anymore

Das singt Romy im Refrain, und plötzlich waren so viele Dinge auf einmal wieder okay, die im letzten Jahrzehnt verpönt gewesen waren: Man musste sich nicht mehr schämen für das Glück, das man im Leben zu haben scheint, für den Nepotismus, die eigene Hotness, für die Männer, die man deswegen bekommt, und das Leben, das sich deswegen eröffnete. Es war, als hätte die Welt aufgehört, Frauen moralisch einwandfreies Verhalten abzuverlangen genau in dem Moment, in dem die Tochter von Sofia Coppola gerade alt genug geworden war, ihre eigene *girlhood* in die Welt zu tragen. *Natürlich* vermisse sie es, ein echtes Mädchen zu sein, singt Romy Mars. Aber jetzt war aus dem echten Mädchen eben das perfekte Produkt für die zweite Hälfte der 2020er geworden: eine junge, heiße, Frau, der die Welt genauso egal war, wie sie es zu sein haben scheint, wenn man in Los Angeles heranwächst.

A-Lister erschien mehr als zehn Jahre nach dem Debüt von Lana Del Rey, die den Typus der blutarmen, unbeeindruckten, hedonistischen Frau von der Westküste in der Popkultur, den Romy bedient, verkörpert wie keine andere. Auf dem Album *Born To Die* singt auch Lana Del Rey von toxischen Beziehungen zu moralisch fragwürdigen (und genau deswegen attraktiven) Männern in Hollywood, *he likes to watch me in glass room bathroom Chateau Marmont,* und in *this is what makes us girls* beschreibt sie sogar dieselbe *Girlhood*-Lebenswelt wie die, die Romy Mars in *A-Lister* beschreibt, nur dass sie sich immer noch wie ein *real girl* fühlte: *This is what makes us girls/We all look for heaven and we put love first.*

Beide stellen sich die Frage danach, was *echte* Girls sind, und beide zählen lediglich auf, was man tun muss, um ein Girl zu sein, nicht, was man von Geburt an mitbringen muss, um eines zu sein. Es ist der Performance-Teil von *girlhood,* der sie so aufregend macht: wenn es darum geht, was man leistet, wie man aussieht, wie man sich präsentiert, dann ist *girlhood* nicht etwas, was man einfach bekommt, sondern etwas, was man sich erarbeiten kann. Die popkulturell süßeste Sache der Welt ist eine, die man offenbar bekommt, wenn man sich anstrengt. Die Anleitung für *girlhood* in der Popkultur ist vage, 1983 war es Cyndi Lauper mit *Girls just wanna have fun,* 1995 Gwen Stefani mit *I'm just a girl,* 2015 Lorde mit *Pretty girls don't know the things that I know,* Charli XCX 2024 mit *Girl, so confusing.*

In den sozialen Medien werden diese Songs über die Foto-Collagen von Party-Schnappschüssen junger Frauen gelegt, Mädchen, die sich angetrunken und selig in den Armen liegen, ekstatisch den Kopf in den Nacken legen, vor Lachen oder dem Gefühl eines sich anbahnenden Rausches, vermeintliche Schnappschüsse, die immer denselben Moment heimlicher Einigkeit erzählen.

Es gibt keine deutsche Übersetzung für *girlhood,* keine, die sich passend anfühlt für das, was im Englischen alles mitschwingt: eine Zeitgeist-Bestandsaufnahme und gleichzeitig eine Suche nach dem größten gemeinsamen Nenner von dem, was es bedeutet, als Frau durch die Welt zu laufen – ein Lebensgefühl, das sich zu ergeben scheint daraus, wie ein Mädchen aussieht, welche Medien und Produkte sie konsumiert, wo sie herkommt und ob ihre Lieblingsserie als Teenagerin an der US-amerikanischen Ost- oder Westküste spielte. *Girlhood* ist in seiner heutigen Bedeutung nicht moralisch, was überraschend ist für die Zeit und auch für Frauen, immerhin ist Feminismus eines der größten Pop-Phänomene der Zwanzigerjahre. Es geht bei *girlhood* eben nicht darum, die Frage danach zu stellen, wie Frauen eigentlich sein sollten, sondern zu schauen, wie sie gerade *sind,* eine Art Verherrlichung vom Affekt, ein Lebensgefühl, was irre tief sein kann und gleichzeitig nicht hinausgeht über *Girls just wanna have fun.*

Es gibt im Deutschen das Wort *Mädchenjahre,* Romy Schneider spielte 1954 in dem Film *Mädchenjahre einer Königin* die Hauptrolle, was eine der letzten popkulturellen Nutzungen des Wortes war und ungefähr andeutet, *wie cool* das Wort heute ist.

Girlhood andererseits ist der Appell an Gemeinschaft unter Frauen und gleichzeitig die sich selbst gegebene Erlaubnis, die eigene Weiblichkeit und das, was an gesellschaftlichen Ansprüchen damit einhergeht, nicht so ernst nehmen zu müssen. Fast wirkt *girlhood* wie eine uneinnehmbare Festung inmitten von Debatten darum, was eine Frau zu erfüllen hat im Namen des Feminismus. Zwischendurch sind wir alle *girls,* die mit anderen *girls* durch die Stadt laufen und Iced Coffee trinken wollen, die sich für die neue Freundin von Harry Styles interessieren oder angetrunken einer fremden Frau auf einem Club-Klo überschwängliche und hochgradig ernst gemeinte Komplimente machen. *I'm just a girl.*

Vielleicht ist das schillernde an *girlhood,* dass es jungen Frauen die Möglichkeit bietet, zu performen, ohne dafür verurteilt zu werden. Die Kleidung, die langsam aufreizender wird, hat noch etwas von Kostümierung, das Flirten etwas Harmloses, der Hedonismus etwas Kindliches. Und vielleicht ist der Grund, wieso erwachsene Frauen sich im Internet weiterhin als *girls* bezeichnen, auch, dass sie an dieser Zeit festhalten wollen, in der sie performen dürfen, ohne bestraft zu werden. *Girlhood* gibt das Versprechen, den großen Widerspruch nebenbei aufzulösen: solange es spielerisch gemeint ist, ironisch und niedlich, solange du noch ein Girl bist und keine erwachsene Frau, kannst du all die Dinge tun, die du nicht tun solltest. Du kannst dich von Männern schlecht behandeln lassen (melancholisch, nicht selbstzerstörerisch), dich selbst auf dein Äußeres reduzieren (ironisch, nicht platt) und eine Hilflosigkeit mimen, bei der jede erwachsene Frau sofort weiß, dass sie nicht nachhaltig sein kann.

Ein *girl* zu sein ist etwas Freiwilliges, eine Frage der Haltung, des Verhaltens. *Girlhood* ist eine Erzählung von weiblicher Gemeinschaft. Die Frauen nennen sich gegenseitig *girls,* die Gilmore *Girls* erzählen streng genommen nur von vielen erwachsenen Frauen und einem einzigen *girl,* die Frauen in *Girls* sind keine Mädchen, sie sind in Staffel eins alle Mitte zwanzig. Popkultur hat *girlhood* nicht nur zu etwas Mystischem gemacht, sondern auch zu etwas, das einer Frau in jeder Phase ihres Lebens offenzustehen scheint. Du bist nicht einfach ein *girl,* du wirst ein *girl.* Und vor allem kannst du ein *girl* bleiben, zumindest, wenn du dich anstrengst. Und genau diese Performance ist es, die *girlhood* so aufregend und verwirrend gleichzeitig machen kann, dass einem vielleicht zwischendurch nichts anderes übrig bleibt, als mit anderen Frauen Arm in Arm, ekstatisch lachend, eine Straße entlangzulaufen, während man fotografiert wird. *Girl, so confusing.*

BARBIE WAR DER DÜMMSTE FILM ALLER ZEITEN UND BILLIE EILISH IST EINE BILLIGE PARODIE

2023 kam der Film *Barbie* in die Kinos und vereinte alles, was man an massenkompatiblem Feminismus hassen kann: eine weiße wunderschöne Frau vollendet mit Diversity-Sidekicks ihre Reise zur Selbstakzeptanz, das Ganze wird gesponsort von mindestens einem börsennotierten Unternehmen. Das, was *eigentlich* gesagt werden müsste, wird so weichgespült oder zumindest für die Massenkultur aufbereitet, dass nur ein Bruchteil von diesem Eigentlichen übrig bleibt.

Und der Film war alles, was man an massenkompatiblem Feminismus lieben kann: Millionen von Frauen haben zur selben Zeit ein Stück Kultur konsumiert, das so sehr mit ihnen resonierte, dass daraus *weltweite* Debatten zum Frausein angestoßen wurden. Feministische Kernaussagen wurden so einfach und einfühlsam vermittelt, dass mehr Frauen die Chance hatten, zu verstehen, worum es dem Feminismus geht. Der Film war sich nicht zu schade dafür, da anzusetzen, wo manche Frauen gedanklich vielleicht schon waren, um andere Frauen abzuholen, die noch am Anfang ihrer Reise standen. Der Film hat keinen Wettbewerb daraus gemacht, welche Frauen bereits am besten wissen, wie Feminismus geht.

America Ferreras Monolog aus dem Film ging bereits wenige Tage nach Veröffentlichung des Filmes viral. Er war eine verzweifelt-schöne Rede darüber, dass es *unmöglich* sei, eine Frau zu sein, eine *richtige* Frau zumindest. Der Ausschnitt wurde im Fernsehen gezeigt, Millionen Male angeklickt, war Anlass für Essays in Zeitungen und für Parodien. Die Reaktionen waren so durchwachsen, wie die Haltung zu Pop-Feminismus ohnehin zu sein scheint. Die einen waren berührt und begeistert. Die anderen kritisierten den Monolog in etwa so: *Diese Gedanken hatte ich schon mit zwölf Jahren.*

Die Kritik am *Barbie*-Film war so unverhältnismäßig, dass sich eine neu entdeckte Lust daran erahnen ließ, Feminismus auf seine *Reinheit* hin zu überprüfen. Im Kern der Kritik stand die Behauptung, dass ein Film, der von einem Fortune-500-Unternehmen wie dem *Barbie*-Hersteller Mattel produziert würde, unglaubwürdig sein *müsse*. Die Frage, die bei der Debatte in

Kommentarspalten auf Instagram dabei unbeantwortet blieb, war: glaubwürdig für *wen?* Wer glaubte, dass Mattel an Feminismus interessiert war? Und wer glaubte, dass das Geld von Mattel nicht trotzdem versehentlich etwas finanzieren könnte, was feministisch ist?

Ein Film, der vor allem einem Unternehmen nutzen sollte, könnte keinen *richtigen* Feminismus fabrizieren, hieß es weiter. Doch was ist *richtiger* Feminismus und möchte der *Barbie*-Film das sein? Der *Barbie*-Film war ein Unterhaltungsfilm, in dem es *auch* um feministische Themen ging. Was einem sofort weniger absurd vorkommt, wenn man sich die Alternative vorgestellt hätte: Ein *Barbie*-Film in den 2020ern, in dem es *nicht* zumindest ein bisschen um Feminismus geht. Mattel spielt eine tragende Rolle in der Geschichte, als böses, anonymes Unternehmen voller Männer, das die sentimentale Idee hinter *Barbie* nicht versteht und sogar so weit wie möglich ausmerzen möchte, um noch mehr Profit generieren zu können. Die Idee, sich selbst als *bad guy* darzustellen, ist naheliegend und drängt sich in derselben Art in seinem Charme auf wie die Werbespots aus den 2010er-Jahren, in denen Promis *ironisch* darüber sprechen, ob sie wirklich Werbung machen wollen für dieses Produkt. Aber die Geschichte von Mattel als Antagonist war eben auch harmlos. Ein Schnaufer, kein Stirnrunzler.

Mattel hat einen *Barbie*-Film produziert, so, wie Marvel und D. C. Superhelden-Filme produzieren. Sie bauen Film-Universen, die den Verkauf der Produkte ankurbeln sollen.

Trotzdem bleibt die Frage, wie kompromisslos Feminismus sein muss, um auch nur ansatzweise als glaubwürdig zu gelten. Kann es Pop-Feminismus überhaupt geben? Richten Produkte, die darauf ausgelegt sind, viral zu gehen und Geld zu generieren, nicht sogar mehr Schaden an, während sie so tun, als wären sie Teil der Lösung? Es schien vielen wie ein Schlag ins Gesicht vorzukommen, ausgerechnet von einem Produkt wie *Barbie* über Bande gesagt bekommen zu müssen, was in den 2020ern gerade so der Zeitgeist zum Thema Frauenrechte zu sein schien.

Der Film hatte die Kritik verdient, die Maschinerie um den Film herum ertrug sie zumindest mühelos. Er machte sich aber vor allem eine Art Taschenspielertrick zunutze, die es auch einer Hyperhollywood-Produktion ermöglicht, eine rührende, warmherzige Geschichte zu erzählen, die an vielen Stellen vielleicht den Eindruck erweckt, von Feminismus zu handeln, sich dafür aber keine harten Argumente oder sperrigen Themen im Drehbuch erlauben muss. *Barbie* nahm die Abkürzung über *girlhood*. Die popkulturell verträgliche Version von Feminismus. Etwas, was buchstäblich jede Frau nachvollziehen kann. Etwas, was ausschließlich vereint und nicht spaltet und vor allem nicht nach Politik, Herkunft oder wirtschaftlicher Situation fragt. Jede Frau war mal ein Mädchen, auch die, die erst später im Leben feststellt, dass sie in Wahrheit eine Frau ist. *Barbie* war eine Chiffre für *girl.* Wenn Greta Gerwigs Barbies sich *Hi, Barbie* zurufen, so lange, bis die Szene in niedlich-lächerlicher Verwirrung endet, meint sie damit eigentlich *Hey, girl. Barbie* war Performance, so, wie *girlhood* eine Performance ist.

Der Film zeigt uns zwei Welten: die *Barbie*-Welt und die echte Welt. Die *Barbie*-Welt ist kindlich und naiv, eindimensional, fröhlich. Die echte Welt ist, na ja, die echte Welt. Ken und Barbie verlieren ihre Unschuld beim Betreten der echten Welt, die *Barbie*-Welt wird somit infiltriert von Ungerechtigkeit, existenziellen Fragen, Unsicherheit und Panik, als sie in sie zurückkehren. Der Film erzählt den Prozess des Erwachsenwerdens und nutzt *Barbie* als Symbol. Sie verliert die harmonische Fröhlichkeit, gewinnt dafür im Gegenzug all das, was uns *girlhood* anbietet: Gemeinschaft, Selbstverortung, Besuche beim Frauenarzt. Greta Gerwig ist die andere große *Girlhood*-Regisseurin, und mir scheint, als müsse man sich entscheiden: Bin ich eine Gerwig oder eine Coppola? Entweder man glaubt an den Zauber des goldenen Käfigs, oder man findet Trost darin, dass es einen Weg aus ihm heraus gibt. Das Skandalöse an Greta Gerwigs *Barbie* war, *girlhood* als eine Reise zu etwas zu erzählen, das vielversprechend sein kann, es gibt einen Weg raus aus all der Melancholie, aus der blutarmen Traurigkeit. Mädchen hören irgendwann auf, mysteriös zu sein, dann nämlich, wenn sie nicht mehr eingesperrt sind, um von anderen angeschaut werden zu können. Wenn sie sich aus dem Karton mit Sichtschutzfolie befreien.

Und *Barbie* erzählt gleichzeitig die Art von Frauwerden, die erst durch soziale Netzwerke ermöglicht wurde: *girlhood* unter den Augen der anderen girls. Ein Raum, in dem andere berühmt werden, in dem man sogar selbst berühmt werden kann. In dem man anderen Frauen zuschauen kann bei ihren Versuchen, Frau zu sein.

Barbie erhielt eine Reihe Oscars, einer der sichersten schien schon vor der Verleihung der für Billie Eilish zu sein. Sie hatte einen Song für den *Barbie*-Soundtrack beigesteuert, der die letzte Szene des Films begleitet. *What was I made for,* singt sie da, während Barbie-Darstellerin Margot Robbie eine Träne über die Wange kullert. Es war einer der vielen Höhepunkte in Billie Eilishs Karriere, die begann, als sie selbst noch ein Mädchen war.

Am Anfang ihrer Karriere hatte Eilish mit einer Interview-Reihe der Vanity Fair begonnen, für die sie jedes

Jahr am gleichen Tag die gleichen Fragen beantwortet. Über die Jahre kann man ihr in Zusammenschnitten dabei zuschauen, wie ihr Leben unvorstellbare Höhen erreicht, sie Teenager-Weltschmerz durchmacht, Liebeskummer, Verzweiflung, Höhenflüge, wie sie mehr Follower bekommt und Meilensteine hinter sich bringt, von der die Künstlerin, die nur ein Jahr zuvor interviewt wurde, nichts ahnen konnte. An einer Stelle erzählt sie ungläubig davon, dass sie einen Oscar für *Barbie* gewonnen habe. Jedes Jahr aufs Neue scheint sie sich selbst mit der Suche nach ihrem echten authentischen Selbst zu quälen. Die ständige Frage, die über den alten Videoausschnitten zu hängen scheint, lautet: Wieso zur Hölle war ich letztes Jahr *so?*

Für eine der Fragen soll sie ihren persönlichen Stil in nur drei Worten beschreiben. 2020, im vierten Jahr des Interviews, mit gerade einmal 18 Jahren, blickt Billie Eilish leicht erschöpft in die Kamera und sagt: *Billie Eilish Parodie.*

Sie hatte das zweite Jahr in Folge ihre vielleicht ikonischste Frisur: den grünen Haaransatz mit den schwarzen Spitzen, viel groben Silberschmuck, übergroße Hosen und T-Shirts, oft mit Gucci- oder Louis-Vuitton-Monogrammen. Es ist bis heute der Look, den man bei Amazon findet, wenn man nach einem Billie-Eilish-Kostüm sucht, der Look, den Eltern beschreiben, wenn sie nach dem Idol ihrer Teenager-Tochter gefragt werden. Ein genrebildender Look.

Die Interview-Reihe ist, genau wie die meisten ihrer Interviews, immer auch eine Meta-Behandlung der Frage, was genau diese Industrie von ihr als junger Frau möchte, was das Publikum verlangt, was ihre Fans verlangen dürfen. Ihre Karriere ist und war geprägt von einem ständigen Kräftemessen mit scheinbar unersättlichen Teenagern, die jede Grenze, die ihr Idol zog, als Herausforderung begriffen, sie zumindest ein wenig weiter auszudehnen. Wie sehr könnte man Billie Eilishs Beziehungen in die Öffentlichkeit zerren? Darf man über ihren Körper sprechen? Über ihre psychischen Probleme? Würde sie es zulassen, obwohl sie Monate vorher klargemacht hatte, dass sie all das nicht möchte?

Billie Eilish Parodie. In nur drei Worten beschreibt Billie Eilish das, was eine Internetöffentlichkeit von Frauen in der Popkultur verlangt. Innovation ist der Anlass für Begeisterung, so lange, bis diese Innovation zum Alltag geworden ist. Begeisterung wird zu einem Gefühl von Komfort, nichts trifft Fans dann mehr, als ihnen genau diesen Komfort zu nehmen, indem man sich zu schnell, zu radikal, zu sperrig verändert. Eine Frau in der Öffentlichkeit springt ständig zwischen zwei Polen. Erst ist sie eine Inspiration, später dann eine Enttäuschung. Entweder sie wartet zu lange, bis sie sich verändert, oder sie verändert sich zu früh. Zwangsweise gibt es immer Phasen zwischen diesen beiden Polen, in denen man sich mehr damit auseinandersetzt, was andere Leute an einem ertragen, als damit, was man der Welt von sich gerne zeigen würde.

Wenige Monate nach dem Interview von 2020 hat Billie Eilish ihre grünen Haare und die übergroßen Klamotten abgelegt und ist auf dem Cover der US-amerikanischen Vogue zu sehen. Ihre Haare sind Marilyn-Monroe-blond, sie trägt Korsage und Strapse. Billie Eilish ist die Billie-Eilish-Parodie losgeworden. Die Reaktionen waren enttäuscht und fassungslos. Gerade volljährig sei sie, schade, dass sie sich wohl gezwungen sehe, *das Spiel* jetzt auch mitzuspielen. Sie könne wohl nicht an den Erfolg des ersten Albums anknüpfen, jetzt müsse sie sich ausziehen.

Wiederum wenige Monate später schreibt Billie Eilish *What was I made for* und erhält ihren zweiten Oscar. Der Song ist eine leise, tieftraurige Ballade, in der Eilish sich die Frage stellt, wie irgendjemand – ihre Umwelt, ihr Partner und sie selbst – dieses Leben, das sie führt, aushalten können soll. In einem Interview erzählt sie, dass sie beim Schreiben des Songs nicht an sich selbst, sondern an *Barbie* gedacht habe. Erst ein paar Tage später, als sie sich das fertige Lied nochmals anhörte, bemerkte sie: *»Oh, das bin ich, das ist meine Geschichte.«*

What was I made for begleitet die entscheidende Szene, in der Barbie in eine lichtdurchflutete Zwischenwelt tritt, irgendwo zwischen der echten Welt und dem *Barbie*-Universum. Sie trifft auf Mrs Mattel, ihre Erfinderin, und bittet sie darum, eine *echte Frau* sein zu dürfen. Mrs Mattel redet ihr ins Gewissen: Ideen leben für immer, Menschen nicht, der Tausch sei nicht ganz so vielversprechend, wie Barbie sich das vorstellt. Aber Barbie bleibt dabei: sie möchte eine echte Person werden, kein Produkt, keine Idee, keine Parodie. Die beiden nehmen sich an den Händen, der Moment, in dem Barbie von der Puppe zur echten Frau wird, wird verdeutlicht mit einer Collage aus Homevideos, die Gerwig während der Dreharbeiten in ihrem Team gesammelt hat. Mütter mit ihren Töchtern, Frauen, die sich lachend auf die Wangen küssen. Mädchen, die lachend durch den Garten eines wie auch immer geartet idyllischen Elternhauses laufen. Girls. Girls. Girls.

Im Musikvideo zu *What was I made for* sitzt auch Billie Eilish in einer lichtdurchfluteten Zwischenwelt. Sie hat einen blonden Pferdeschwanz, der so perfekt wippt, als sei ihr Haar aus Plastik, mit einem hellgelben, hochgeschlossenen Kleid, das aus den Fünfzigerjahren sein könnte. Sie sitzt an einem Schreibtisch und öffnet einen *Barbie*-Spielzeug-Koffer, aus dem sie kleine Puppen-Kleider pflückt, eins nach dem anderen breitet sie die Outfits auf dem Tisch aus und begutachtet sie. Eilish scheint eine bestimmte Reihenfolge für sie im Kopf zu haben, entschlossen hängt sie sie eins nach dem anderen an einer Miniatur-Kleiderstange auf, die vor ihr auf dem Tisch steht. Ein Windsturm kommt auf, dann setzt Platzregen ein, sie legt sich mit dem Oberkörper schützend auf die kleinen Kleidchen, die eins nach dem anderen wegzuwehen drohen. Immer wieder prüft sie die Reihenfolge, während sie verzweifelt versucht, die Ordnung, die sie im Kopf hat, instand zu halten. Die Kamera kommt ihr immer näher, wir sehen ihren resignierten Gesichtsausdruck, als sie beginnt, die nassen Puppen-Outfits auszuwringen. Sie gibt auf, hängt die Klamotten wieder ab und verstaut sie im Koffer. Je näher wir ihr kommen, desto klarer lässt sich erkennen, dass die Puppen-Kleider Miniaturen ikonischer Billie-Eilish-Outfits aus den ersten Jahren ihrer Karriere sind. Der Jogginganzug aus ihrem ersten Musikvideo, mit dem sie berühmt wurde, eine ikonische Robe von einem ihrer ersten Auftritte auf dem roten Teppich. Outfits, die ihre Karriere beschreiben, ihren Weg dahin, ein Produkt geworden zu sein.

Der Himmel zieht in der Zwischenwelt wieder auf, der Regen hört auf, der Song geht zu Ende. Eilish schließt den Koffer, lässt ihren Kopf kurz erschöpft auf ihm ruhen, ehe sie aufsteht, den Koffer greift und aus dem Bild geht. *What was I made for?* singt sie.

Billie Eilish Parodie.

Der Barbie-Hersteller Mattel hatte schon vor dem Erfolg des *Barbie*-Films weitere Filmprojekte in Planung gegeben. Während Gerwig an dem Konzept von *Barbie* arbeitete, erhielt die Autorin und Regisseurin Lena Dunham den Auftrag, sich einen Film für *Polly Pocket* auszudenken. Im Jahr 2024, drei Jahre nachdem Dunham begonnen hatte, daran zu arbeiten, und ein Jahr, nachdem der *Barbie* erschienen war, gab Dunham das Projekt aber in der Entwicklungsphase wieder auf. Ihre Begründung: Sie könne das, was Gerwig geschaffen hatte, nicht reproduzieren, was Zauber, Zeitgeist und Erfolg angehe.

Dunham seziert genau wie Gerwig und Coppola in ihrer Arbeit *girlhood*, mit dem Horror und dem Paradies, das es gleichzeitig bedeuten kann, eine Frau zu werden. 2012 erfand sie die HBO-Serie *Girls,* die sich mit nichts beschäftigt außer dem, was im Titel vorkommt: vier unterschiedliche Mädchen, na ja, *Frauen* in New York manövrieren sich durch ihre Zwanziger, die aus einer belanglos großen Menge an Liebeskummer und Neurosen bestehen. Das Besondere, das, was Kritiker als Zumutung empfanden und Fans als eine Art Erweckung, war, dass Dunham sich herausnahm, Frauen wichtig genug zu nehmen, um über sie eine ganze Serie zu drehen. Ihre Charaktere waren überspitzt, aber nicht aufgeblasen, ihnen passierte nicht außergewöhnlich viel in ihren Leben, sie generierten ihre Daseinsberechtigung nicht über Relevanz oder Rasanz – es sollte ausreichen, dass sie junge Frauen sind und viele junge Frauen in der echten Welt das sehen wollen würden. *Girls* gilt als eine der besten Serien des 21. Jahrhunderts – Lena Dunhams Ruf leidet bis heute darunter. Sie spielte die Hauptfigur Hannah selbst, eine junge, unsichere, laute Frau ohne Filter und mit unterdurchschnittlich viel Interesse daran, über irgendetwas anderes zu reden als sich selbst. Hannah war unerträglich und liebenswürdig gleichermaßen, charismatisch und abstoßend, neurotisch und chaotisch, eine Frau, die so vielschichtig war, dass sie die perfekte Projektionsfläche sein konnte für alles, was man an seinem eigenen Frausein entweder liebte oder hasste. Dunham hatte ihre Figur absichtlich als schwer zu lieben konzipiert, das Schockierende und Revolutionäre schien zu sein, dass sie sich nicht der naheliegenden Eitelkeit hingab, eine niedliche Frau mit einem erfolgreichen Leben zu erfinden. Also genau den Typ Frau, der seit Jahrzehnten in Romcoms als beneidens-

und begehrenswert angepriesen wurde. Bis heute wird Dunham mit ihrer Figur verwechselt, oder: Antipathien, die Hannah gelten sollten, gelten heute Dunham. Die Öffentlichkeit hielt es für unvorstellbar, dass eine junge Autorin begabt genug war, um eine vielschichtige Figur zu erfinden, offenbar auch zu eitel und zu desinteressiert daran, spannende Kunst zu machen, dass sie bereit wäre, *freiwillig* eine Figur zu spielen, die nicht süß, charismatisch und hot ist. Wieso soll eine Frau eine Serie schreiben, wenn es nicht insgeheim darum geht, von Jungs gut gefunden zu werden?

Dunham hatte eine mehrdeutige Serie gemacht, mit mehrdeutigen Figuren, die sich nicht auf einen Satz herunterbrechen ließen. Sie nahm die realistische Option in Kauf, dass ihre Mehrdeutigkeit ihr zum Nachteil gereichen würde. *Jeder* konnte die eigenen Antipathien in sie hineinprojizieren, sich die Aspekte an Hannah herausziehen, die vermeintlich besonders empören, übertrieben oder widerlich waren, und sie ihrer Erfinderin zum Vorwurf machen, so, als sei Lena Dunham ihre Serie versehentlich passiert, als hätte sie keine Kontrolle über ihr eigenes Drehbuch, ihre eigenen fiktiven Figuren gehabt. In Wahrheit hatte Dunham mit ihrer Serie ein Gespür für das, was erst ein Jahrzehnt später in der Popkultur vorherrschend sein würde. Sie kokettierte damit, erwachsene Frauen als *Mädchen* zu bezeichnen, sie benannte die schwer erträgliche Attitüre mancher weißer Großstadt-Frauen, in der diese die Welt so umdeuteten, dass sie nicht nur pausenlos gegen sie war, sondern sie sich vor allem auch ständig um sie drehte. Und Dunham machte aus sich selbst und ihrer Figur eine Parodie, vielleicht etwas absichtlicher und kontrollierter, als Billie Eilish es ein Jahrzehnt später in dem Interview formulierte, aber es war auch eine Parodie. Dunham hatte den potenziellen Erfolg von *Girls* erahnt oder erhofft und Frauen erfunden, die die Öffentlichkeit zwar vielleicht furchtbar findet, aber sehen will: Frauen, die nerven, über die man sich ärgern kann, die vielschichtig sind, aber *kompliziert* genannt werden.

Dunham und Eilish teilten das Schicksal von Frauen in der Öffentlichkeit, egal, ob es Autorinnen, Popstars oder Influencerinnen sind. Jede Art von Mehrdeutigkeit wird sich zu ihrem Nachteil entwickeln. Jede Facette, die sie der Öffentlichkeit zur Interpretation überlassen, wird früher oder später negativ konnotiert. Ihre offensichtlichen Anteile werden zur Parodie, und all die unzähligen Anteile, die nicht in die Parodie passen, werden ihnen als Hinterhältigkeiten ausgelegt.

Am Ende des Films wird Barbie von einer dauerfröhlichen Projektionspuppe zu einer mühevollen, vielschichtigen und ironischen Frau. Der einzige Lohn, der ihr für diesen Tausch in Aussicht gestellt wurde, war

Gemeinschaft zu anderen Frauen. Gerwig hatte aus einer Puppe eine Frau in der Öffentlichkeit gemacht, hatte sie neuen Bewertungen ausgesetzt und einen Film gemacht, der mit der plumpen Mattel-Plastik-Ästhetik spielt und gleichzeitig eine Geschichte erzählt, die mehr ist als das. Vielleicht war der *Barbie*-Film deswegen *camp,* vielleicht war er einfach ein sehr unterhaltsamer Blockbuster, aber er war kein Versehen. Greta Gerwig hat sich nicht von Mattel austricksen lassen, so, wie Lena Dunham nicht versehentlich eine der besten Serien der heutigen Zeit geschrieben hat, nur weil sie sich eine unsympathische Figur auf den Leib geschrieben hatte, genauso, wie Billie Eilish nicht ihre Werte verraten hatte, als sie sich für ein Cover der Vogue ausgezogen hat. Das Nervenaufreibende an Frauen in der Öffentlichkeit ist, dass man sie von der Parodie zur echten, kompetenten Frau werden lassen muss, um ihre Kunst verstehen zu können. Man muss diese Kunst dann nicht mögen, man kann sie sogar furchtbar finden, aber um sie zu verstehen, muss man die Frau dahinter so ernst nehmen, dass man ihr zutraut, mehr als eine Parodie auf sich selbst, auf *Girls* auf der ganzen Welt zu sein. *What was I made for?*

ME ME ME TIME

Das Video zeigt ein Stillleben: einen Schminktisch, auf dem ästhetisch ansprechende Kosmetikartikel verteilt sind, alles ist getaucht in warmes Abendlicht und das Flackern einer Duftkerze. Am Bildrand stehen ein Glas mit Matcha und ein iPad. *Cheaper than therapy* steht in großen Lettern über dem Video. Das, was hier gezeigt wird, ist ein *Girlhood*-Szenario, das offenbar den gleichen Effekt haben soll wie Therapie. Auf dem Standbild des iPads sieht man das Gesicht von Supermodel Kendall Jenner, Fans des Formats erkennen das Setting: den hellen Hintergrund eines Hotelzimmer-Bads, das gut ausgeleuchtete Gesicht eines Celebrity, das meditative In-die-Kamera-Halten von Kosmetik-Produkten: es sind die *Vogue Beauty Secrets,* ein ultraerfolgreiches YouTube-Format des Modemagazins, bei dem Hollywood-Schönheiten ihre Beauty-Routinen vorstellen. Welche Creme gegen Augenringe? Welchen Lipliner für einen kühlen Unterton? Welches Serum bei trockener Haut? Sobald ein neues Video in der Reihe erscheint, fluten junge Frauen ihre Timelines damit: ein iPad, ein Kaltgetränk, Zeit, sich zu schminken, während man einer anderen Frau dabei zusieht, wie sie sich abschminkt. Billiger als Therapie, nicht ansatzweise so effektiv.

Die *Vogue Beauty Secrets* haben eine Idee aufgenommen, die im vorangegangenen Jahrzehnt von Make-up-YouTuberinnen vorbereitet wurde. Die Idee ist so genial wie perfide: Make-up ist keine Arbeit, sondern *Selfcare.* Außerdem soll es eine Möglichkeit zum *Abschalten* sein, die einzige Zeit am Tag, die Frauen nur für sich haben sollen. Es war eine Behauptung, die sich gegen den Vorwurf immun machen wollte, diese Art von Videos wäre für die Betreiber der Kanäle so etwas wie Arbeit und damit – oje – Werbung. Es war damals absolut entscheidend, nicht die Feelgood-Augenhöhe zwischen Zuschauerin und Creatorin zu verlieren. Eure Lieblings-YouTuberin filmt kein Video, weil sie ihre Miete damit bezahlt, sondern, weil es die einzige Zeit des Tages ist, wo sie ihre *Ruhe* hat. Diese Behauptung wurde von Beauty-TikTokerinnen und schließlich von Magazinen zu dem entwickelt, was es heute ist. Das Eincremen und Abschminken ist entspannend, freiwillig und luxuriös.

Die Frauen in den *Vogue*-Videos reden mit ruhigen und empfindsamen Stimmen über die Qualität der Reinigungsmilch, die sie benutzen, sie sagen Dinge wie »Es ist wichtig für mich, abzuschalten«, während sie sich geeiste Löffel auf die angeschwollenen Augen legen, oder »This feels so good«, wenn sie sich mit kreisenden Bewegungen eine Lotion in die Haut einmassieren.

Je offensichtlicher in sozialen Netzwerken dokumentiert wurde, wie viel Zeit und Geld es Frauen kostet, schlank, glatt und glücklich zu sein, desto dringender war ein *Rebranding* nötig. Wenn Kosmetikmarken, Celebritys und Influencerinnen weiter Geld damit verdienen wollen, ihre Produkte an Frauen zu verkaufen, darf das Ganze nicht mit Zeit- oder Geldverschwendung assoziiert werden. Jedes Mal, wenn ich den Teenagermädchen in meinem Leben erkläre, wie man sich die Haare föhnt, damit sie glänzen, in welcher Reihenfolge man Seren aufträgt (und: wieso) oder wie man seine Beine rasiert, ohne Pickel an den Haarwurzeln zu bekommen, wird das entlarvt, was ich in meinem eigenen Leben tief vergraben habe: das alles ist kein bisschen mühelos. Die Methoden dahinter sind kleinteilig und sorgsam ausgetestet, es ist kompliziert, zu erklären, welche Handgriffe in welcher Reihenfolge hinter sich gebracht werden müssen. Man lernt das, sage ich, wenn ich in verwirrte Mädchenaugen blicke. Es wird einfacher. Es wird zur Routine. Es wird etwas, was man nicht mehr hinterfragt. In Wahrheit wird es nie einfach, man wird nur widerstandsfähig. Nichts davon ist Selfcare oder Me-time, es ist meilenweit entfernt von Therapie. Das, was früher überflüssig war, ist heute ein *essential,* und das, was als unnötiger, wenngleich schöner Luxus gelten könnte, ist heute Teil einer *Selfcare-Routine.* Das, was sich seit diesem *Rebranding* in Badezimmern abspielt, ist quasi unangreifbar geworden.

WER wäre man, die therapeutische Me-time
einer jungen Frau infrage zu stellen?

WER wäre man, sich diese heilige Zeit
selbst nicht zu erlauben?

WIE weit darf das Ganze getrieben werden?

BIS wann ist es Therapie?

AB wann nur routinierter Selbsthass?

WELCHE Cremes sind zu teuer, welche Eingriffe
gehen zu weit, wie dünn ist zu dünn, wie sehr
wollen wir Frauen erlauben, das Spiel, das wir nicht
erfunden haben, mitzuspielen, weil es ihnen
Vorteile bringt?

UND was davon dürfen wir überhaupt noch
angreifen, wenn es sich eben nicht mehr wie
Unterwerfung, sondern wie *Me-time* anfühlt?

Jede Debatte um Schönheit braucht einen konkreten Körper, an dem sie aufgehängt werden kann. Wir brauchen Beispielbilder, die Selfies von Models, die

Zooms auf die Oberschenkel von Influencerinnen, die Screenshots von im Original längst gelöschten Ganzkörperfotos von fremden Frauen, die wir nutzen können zur Bebilderung unserer Ideen. Wir versuchen, zu verdeutlichen, *was* genau wir meinen, wenn wir über schlecht aufgespritzte Lippen sprechen, welche Körper noch athletisch, welche schon zu dick sind, ab wie viel verlorenem Gewicht ein Gesicht ein *Ozempic-Face* ist, also eins mit eingefallenen Wangen nach Gewichtsverlust, und bis zu welchem Punkt ein Gesicht einfach *strahlend schön* aussieht, weil es endlich schmaler geworden ist. Ich erkläre mich dazu bereit, ein Beispielfoto zu werden, sobald ich ein Foto von mir ins Internet poste. Diese Art von Debatten brauchen konkrete Körper, an denen sie sich aufhängen und abarbeiten können, und eine meiner Dienstleistungen im Internet ist, dass ich einen konkreten Körper anbiete, ob ich will oder nicht. Wenn nicht ich es bin, ist es eine Schauspielerin auf dem roten Teppich mit offensichtlichem Botox, ein Model, das am Strand fotografiert wird und noch dünner aussieht als sonst, dasselbe Supermodel, das wenige Wochen später auf einer Fashion Week läuft und dann zu dick aussieht. All die Fragen, die sich Frauen reflexhaft stellen, wenn sie den Körper einer Frau in der Öffentlichkeit sehen, werden zu Fragen, die sie laut aussprechen, im Namen des Feminismus.

WAS hat sie machen lassen?

HAT sie abgenommen?

SIND das ihre echten Haare?

WIE sind die so schnell gewachsen?

WIESO interessiert mich das?

SIEHT sie besser aus, seit sie wieder Single ist?

WIESO *gewinnt* man eine Trennung,
wenn man nach ihr hotter aussieht als noch
in der Beziehung?

WIE viel will sie noch machen lassen?

WIE viele Selfies will sie noch posten?

WIE kommt sie auf die Idee, uns
würde das interessieren?

WIE kann sie nur?

Diese Fragen geben vor, neue Grenzen abstecken zu wollen, innerhalb deren es für Frauen in Zukunft gefahrlos möglich sein sollte, den eigenen Körper zu verändern. In Wahrheit gehen die Antworten auf diese Fragen nie hinaus über den konkreten Fall, heißt: die konkrete Frau, die da gerade bewertet wird. Sie hat sich Botox spritzen lassen. Sie hat acht Kilo abgenommen. Nein, das sind Extensions.

Diese Fragen verpuffen in dem Moment, in dem Antworten auf sie gefunden wurden, ohne dass daraus Lehren gezogen werden können. Die Grenzen, die angeblich diskutiert wurden, existieren weiterhin nicht. Jede Frau muss damit leben, dass bei jedem öffentlichen Auftritt aufs Neue von einer sich ständig neu formenden Teilöffentlichkeit diskutiert wird, ob ihr Aussehen zu viel oder zu wenig ist. Es gibt kein Gewicht, über- oder unterhalb dessen man sich sicher sein kann, nicht auf sein Aussehen angesprochen zu werden, keine Rock- oder Haarlänge, keine Menge an Fillern oder Falten, es gibt keine *safezone,* alles ist Krieg. Das, was in diesem Moment okay zu sein scheint, ist abhängig vom Zeitgeist, von den Frauen, die in den Wochen zuvor öffentlich kritisiert oder gefeiert wurden, der weltpolitischen Lage und dem Durchschnitt von allen Meinungen aller Menschen, die sich in der Kommentarspalte zu einem Foto einer Frau zufällig gefunden haben.

Ich habe es nie als *Therapie* empfunden, mich zu schminken, ich hatte keine Duftkerze in meinem Bad stehen, die ich anzündete, als ich mich als Teenagerin abends abschminkte, ich brauche nichts davon, um nach einem langen Tag abzuschalten. Ich fühle mich wie eine Verräterin, wenn ich zugebe, dass es mir nicht pausenlos Spaß macht oder Entspannung bringt, meine Lymphen im Gesicht zu massieren. Ich mache es, weil sich die Mühe lohnt. Und weil ich in einer Öffentlichkeit stehe, in der meine Existenz allein bereits Angriffsfläche bietet. Meine Me-time besteht nicht daraus, mich für das Begutachtetwerden von Fremden zurechtzumachen. Therapie ist meine Therapie.

Ich bin ständig hin- und hergerissen zwischen meinem Dasein als Frau, die genau die Öffentlichkeit, die ihr als Ansporn dienen müsste, es für die kommende Generation besser zu machen, als Ausrede dafür benutzt, es nicht besser machen zu müssen. Ich bin paralysiert im Angesicht der Fragen, die anhand meines Gesichts verhandelt werden. Ich habe Angst, wenn ich ein Foto poste, auf dem ich besonders gut aussehe, weil ich weiß, dass ich mir vorwerfen lassen kann, nicht mehr *die Alte* zu sein, als sei ich mit dem Versprechen angetreten, mich niemals zu verändern. Ich habe noch mehr Angst davor, eines zu posten, auf dem ich schlechter aussehe, als ich eigentlich aussehe, weil ich nicht den Eindruck erwecken möchte, das sei mein absoluter Blick auf mich, denn die potenzielle Debatte, die sich um potenziell jedes Foto von mir genau wie jeder anderen Frau ranken könnte, bläst die Bedeutung jeder Momentaufnahme auf. Was wollte sie uns *damit* sagen? Welche Schlüsse können wir auf ihre psychische Verfassung zulassen? Ein Hilfeschrei? Eine Verzweiflungstat? Follower lieben es, in die Seelen von denen zu kriechen, denen sie folgen, es scheint eine Art Tauschhandel zu sein. Ich folge dir, dafür darf ich entscheiden, wie es dir geht. Diese Menschen scheinen immer genau zu wissen, wie es um mein Selbstbewusstsein bestellt ist. Ich mag mich zu viel oder zu wenig, auf gar keinen Fall sollte ich einfach Durchschnitt sein. Mein Aussehen ist kein Kompromiss. Ich stelle mir die gleichen Fragen, die sich jede andere Frau auch stellt, nur dass ich im Zweifel das Beispielbild für den Artikel dazu werde, der Hashtag, zu dem Frauen ihre Meinungen sagen, das Video, das auf TikTok viral geht, weil man an mir irgendeine Vorher-Nachher-Debatte führen kann.

IST es moralisch vertretbar, sich die
Lippen aufspritzen zu lassen?

ÄNDERT sich das, wenn ich die
Mutter einer Tochter werde?

ODER, noch schlimmer: die eines Sohns?

UND ist es okay, wenn man den Körper von vor
der Geburt vermisst, trotz der Tatsache, dass
man genau weiß, was er geleistet hat?

KANN ich irgendwo klare Grenzen ziehen oder ist es eine ständige Gratwanderung?

WENN ich Shaping-Unterwäsche ablehne, muss ich dann auch aufhören, meine Strumpfhosen absichtlich immer eine Nummer zu klein zu kaufen, damit sie meinen Bauch platt drücken?

IST Make-up, das Männern gefällt, automatisch ein schlechtes Zeichen?

WAS, wenn ich meine Nase schon hasse, seit ich ein Kind bin?

IST eine Operation dann in Ordnung?

IST es vertretbar, mich wohler zu fühlen, seit ich schlanker bin?

IST es vertretbarer, wenn ich gleichzeitig zugebe, jeden Mann zu verachten, der mich besser behandelt, seit ich schlanker bin?

UND fühle ich mich wohler, weil mein Körper sich besser anfühlt oder weil er weniger gehasst wird?

WO ist der Unterschied?

HABE ich wirklich wenig Angst vorm Altern oder habe ich einfach noch keine Falten?

WEISS ich von jeder Frau in meinem Umfeld
automatisch, ob sie besser aussieht als ich,
weil ich schon mal darüber nachgedacht habe?

IST es okay, wenn ich zwar anerkenne, dass jede
Frau unter ihrem Aussehen leidet, und es trotzdem
hasse, wenn schlanke Frauen darüber reden, dass
sie manchmal Bohnenstange genannt werden?

BIN ich ein schlechter Mensch, wenn ich Angst
habe, irgendwann auszusehen wie meine Mutter?

SOLLTE ich den Versuch abzunehmen
verheimlichen?

POSTE ich mehr Selfies, seit ich schlanker bin?

BIN ich das Problem?

BIN ich Teil des Problems?

BIN ich Opfer des Problems?

BIN ich alles gleichzeitig und kann mir einfach
aussuchen, wann ich was sein will, um am Ende des
Tages so aussehen zu können, wie ich möchte?

Die *Cheaper-than-therapy*-Logik hatte eine Sehnsucht nach Einfachheit befriedigt: Indem Skincare, Diät-Kultur, Besuche im Nagelstudio, Make-up und Haarentfernung zu einer Art von Selbstfürsorge erklärt wurden, entstand eine große Kategorie von Dingen, die plötzlich nicht mehr nur in Ordnung waren, sondern gar nicht erst hinterfragt werden durften. Gleichzeitig konnte alles, was nicht in diese Kategorie fiel, dämonisiert werden.

Als ich das erste Mal über meine Botoxeingriffe schrieb, war ich überrascht von der Welle der Ablehnung, die mir entgegenkam. Es schien für viele ein Synonym zu sein für feministischen Hochverrat, endgültige Oberflächlichkeit und Stillosigkeit bei Frauen, und nicht einfach eines von vielen Dingen, die Frauen taten, um ihre Chancen zu erhöhen, *schön* gefunden zu werden.

Botox gilt als teuer und gefährlich, es scheint aber auch ein Symbol einer neuen Zeit zu sein – eine, in der Beauty-Filter in sozialen Netzwerken unsere Sehgewohnheiten so weit verzerrt haben, dass wir bereit sind, uns Spritzen ins Gesicht setzen zu lassen, in der Klatschmedien genau wie Fans gerne triumphal Videos von Influencerinnen *in der freien Wildbahn* posten, die beweisen sollen, wie viel schlechter diese Frauen aussehen als auf den Selfies, die sie posten. Botox abzulehnen scheint eine einfache Möglichkeit zu sein, sich abzugrenzen von einer nicht weiter definierten Kardashian-Welt, in der Frauen ihre Münder zu Schnuten verziehen, sich falsche Wimpern ankleben und möglichst lange möglichst faltenfrei bleiben wollen, selbst wenn das bedeutet, auf ein wenig Mimik zu verzichten. Diese Welt bildet den Social-Media-Gegenpol zu der *Cheaper-than-therapy*-Welt. Auf der einen Seite die völlig akzeptable Form der Selfcare, bei der Frauen sich vor allem darum kümmern, dass es ihnen gut geht (immer mit dem völlig zufälligen Nebeneffekt, dass sie dadurch besser aussehen), auf der anderen Seite die völlige Verrohung von *allem,* weil Frauen offen damit umgehen, was insgeheim von ihnen verlangt wird: schön aussehen, auch wenn es bedeutet, dass man sich kurz schlecht fühlt. Ein Gang in eine Botox-Klinik fasst vermeintlich all das zusammen, was wir an sozialen Netzwerken abstoßend finden und dennoch konsumieren: Es geht um eine Welt, in der egal ist, wer du bist oder wie es dir geht, solange du gut aussiehst.

Botox ist nicht gefährlicher als Diäten oder manche chemische Peelings, die man sich in der Drogerie kaufen kann, es ist auch nicht teurer als einige Hautcremes, Seren und Kosmetikbehandlungen, die von den Marken an Frauen aus der völlig normalen Mittelschicht verkauft werden sollen. Botox ist nicht krasser oder gewöhnungsbedürftiger als einiges, was angeblich Selfcare und eine Unterform von Therapie ist, aber es hält uns brachial vor Augen, dass Frauen tatsächlich bereit sind, zu *leiden* für den großen Preis der Schönheit.

Immer wieder ziehen wir fremde Frauenkörper aus dem Internet als Anschauungsobjekte heran, um immer wieder aufs Neue zu versuchen, Grenzen zu formulieren, die nicht existieren können. Es gibt keine moralisch eindeutige Grenze, die eine Gesellschaft gemeinsam ziehen könnte, dazu, was auf der Suche nach Schönheit bei Frauen, bei dieser eigentlich irrelevanten Sache, die zu dieser Einstiegsvoraussetzung für *Girlhood*-Glück gemacht wurde, noch akzeptabel ist und was nicht. Es dennoch immer wieder aufs Neue zu tun, ist eine Art Hobby einer Internetöffentlichkeit geworden, bei beispielsweise Botoxeingriffen zu sagen, dass da eine Grenze erreicht sei, man kann fassungslos die Hände über dem Kopf zusammenschlagen und empört sein darüber, dass es Frauen gibt, die sich Eingriffen wie diesem unterziehen. Die Empörung über Schönheitseingriffe und Frauen, die sich dafür entscheiden, ist in sozialen Netzwerken so erfolgreich, weil sie aus dem richtigen Frausein einen Wettbewerb macht. Alles, was günstiger, weniger schmerzhaft oder aufwendig als Botox ist, ist in dem Moment automatisch etwas weniger verurteilungswürdig. Empörung über Botox tut so, als sei das nicht alles gleich absurd: Nadelstiche im Gesicht, hungern, sich in Kleidung zwängen, High Heels tragen, Augenbrauen zupfen, Haarfarben, die Allergien auslösen können, Mascaras benutzen, die für Bindehautentzündungen sorgen können.

Das wirklich Schockierende, das wirklich Aufsehen- und Kritikerregende an Botox ist nicht, dass es giftig, teuer oder gefährlich ist, sondern, dass es ein *Eingriff* ist, eine einmalige Sache, der man sich *unterziehen* muss. Eingriffe können nicht mehr als beiläufig, gemütlich oder therapeutisch umgedeutet werden, sie sind keine *Me-time,* sie tun weh, sie sind teuer, man hat sich von ihnen zu erholen. Eingriffe sind immun gegen das gemütliche *Rebranding,* das an den Schminktischen und in den Hotelzimmer-Bädern stattgefunden hat. Die Sonderrolle von Botox existiert, weil es als etwas dargestellt wird, was im Vergleich zu anderen Vorhaben, Kaufvorgängen, Routinen und Disziplinen als außer Konkurrenz betrachtet wird, als der Gipfel der Geschmack- und Disziplinlosigkeit, als eine Abkürzung, die einzelne Frauen ohne Not nehmen. Es ist nicht Teil einer Routine, es gehört nicht zu den als weiblich angesehenen Arbeiten, die jeden Tag aufs Neue passieren müssen, das Auftragen von Sonnenschutz, das Abwischen der Arbeitsfläche, das Peelen der Oberarme, das Falten der Decke auf der Couch. Es ist nicht *girlhood,* nicht mühsam, nicht natürlich, und ja, natürlich ist es nicht feministisch. Es ist kompliziert. Es ist irgendwo dazwischen.

SPIELT es eine Rolle, ob ich Botox heimlich spritze oder ob ich damit hausieren gehe?

ÜBERHAUPT: wenn ich von allem zu viel machen lasse, ist das weniger schlimm, als wenn ich alles unauffällig machen lasse, weil ich es dann nicht dementieren kann?

UND: weil Männer sich natürliche Schönheiten wünschen?

IST es falsch, es auszuprobieren?

IST es falsch, es aufregend zu finden?

IST es falsch, dass einem egal ist, dass es nicht feministisch ist?

UND ist es okay, dass man glaubt, dass es auch nicht unfeministisch ist?

Die meisten Frauen leben in diesem Dazwischen, das sich aus Prägungen, Elternhäusern, politischen Überzeugungen, Genetik, Subkultur und Sehnsüchten entwickelt. Es spielt sehr wohl eine Rolle, ob unsere Väter uns hübsch fanden, wie die Frontfrau meiner Lieblingsband aussieht, ob ich einen Partner habe oder überhaupt auf Männer stehe. Das große Dazwischen ist, absurd zu finden, wie Kim Kardashian aussieht, und es voller Bewunderung zu bestaunen, wie *wundervoll* Jane Fonda altert. Die natürlichen, etwas schiefen Zähne der Schauspielerin Keira Knightley niedlich zu finden und sich bei anderen Frauen auf dem roten Teppich zu fragen, wieso sie sich nicht *ein bisschen zurecht*machen. Es ist das Anstarren von fremden Frauen, das Bewerten ihrer Körper, das Nachkaufen oder Kritisieren ihrer Outfits, das Reinzoomen in ihre Selfies. Es ist die Frage, wieso eine Autorin mit blondierten Haaren eine Seite zuvor blonde Haare kritisieren kann.

Wir machen mit ihnen, was wir unseren Freundinnen nicht antun wollen. Irgendwo muss all das hin.

Würdevoll altern ist eine Floskel, die vor allem für Frauen in der Öffentlichkeit reserviert ist, es steckt eine unausgesprochene Anspruchshaltung darin: Die Frau soll sich ohne Widerspruch genau dem Altern ergeben, das die Öffentlichkeit nicht sehen will. Oder: nur *fast* sehen will. *Würdevoll* altern nämlich nur die, die zufällig auch *gut* altern. Es ist nicht beeindruckend, dass Meryl Streep kein Botox benutzt und keinen Facelift hatte. Denn: Sie *braucht* keins von beidem. Würdevoll altern bedeutet, sich nach Jahren der Jugend endlich wieder der Kontrolle der öffentlichen Meinung zu ergeben: Niemand will dich altern sehen, aber niemand will dir erlauben, ebendieses Altern zu vermeiden. Ergib dich einfach der sich anbahnenden Unsichtbarkeit, die wir all die Jahre für dich vorbereitet haben. Es ist die letzte Instanz der Kontrolle über Frauen, die in der Öffentlichkeit sonst immer mächtiger würden: reicher, kompetenter, bekannter. Männer werden immer besser, Frauen setzen entweder ihre Würde oder ihre Karriere aufs Spiel.

Es ist unmöglich, in der Öffentlichkeit würdevoll zu altern. Es ist ein Spiel, ein Theaterstück. Der Wert einer Frau in der Öffentlichkeit *ist* ihr Aussehen, nicht ihre Kompetenz, ihre Macht, ihr Charisma.

Die Frage der Würde findet im Privaten statt, da, wo die Frauen, die angeblich in Würde altern sollen, überhaupt in ihren Körpern existieren können, ohne dass an ihr Aussehen automatisch ein vermeintlicher Wert gekoppelt ist. Es gibt keine inneren Werte, es gibt einen Marktwert. Prominente sind keine Menschen, sie sind Unternehmen, in denen Menschen arbeiten.

Das versuche ich mir vor Augen zu führen, wenn ich überlege, wie ich öffentlich rechtfertige, dass ich meine Haare färbe oder versuche, abzunehmen, wenn ich ein Foto von einem roten Teppich auf Instagram poste, auf dem ich besonders hübsch aussehe, und die ersten genervten Kommentare lösche, die mokieren, dass ich im echten Leben aber anders aussähe. Ich bin kein Mensch, denke ich dann. Ich bin eine Firma. Die meinen nicht mich. Die meinen jede Frau, die jemals vor mir existierte. Ich bin eine Frau für mich selbst, ich bin eine Frau für die Frauen, die mich betrachten, eine Frau für meinen größten Fan und meinen leidenschaftlichsten Kritiker. Ich bin das, was jede dieser Frauen in dem Moment, in dem sie mich sieht, von mir braucht.

Ich halte als Argument für das her, was diese Person in mir sehen möchte. Und das ist erst der Anfang, denke ich dann. Ich bin grade mal 32. Bald geht es erst richtig los. Ich mache einen emotionalen Zehnjahresplan, eine vorläufige Bilanz dessen, was ich in einer Dekade wahrscheinlich noch alles auszuhalten haben werde. Ich bin Dienstleisterin. Ich bin richtig und falsch, achtlos und ermächtigt, selbstgerecht und inspirierend, je nachdem, was meine Betrachterin gerade braucht. Ich stehe in Relation zu anderen. Ich werde genutzt, damit es anderen gut geht. *I'm a mirrorball. And I'll show you every version of yourself tonight.*

So natürlich auch nicht. Ich bin das Produkt einer Welt, die ich mittlerweile mitbeeinflussen darf. Alles, was ich tue, tue ich, weil ich versuche, eine gute Frau zu sein, eine, die überlebt, eine, die das Leben führen darf, dass sie sich gebaut hat, eine, die Dinge tut, um ein schönes Leben zu führen, ein gutes Leben, ein moralisch vertretbares Leben. Ich wäge ab, und ich scheitere, es ist unendlich kompliziert, und am Ende ist es auch ganz leicht. Ich lasse mir Botox spritzen, weil ich genau die gleichen Probleme habe wie jede andere Frau auch. Ich schreibe darüber, dass ich mir Botox spritzen lasse, weil ich es als hinterhältig empfinden würde, aus meinem eigenen Bedürfnis für Komfort heraus anderen Frauen die Lüge zuzumuten, dass sich mein Gesicht nicht verändert hat.

Ich will nicht, dass andere Frauen mir in den Fehlern und den Charakterschwächen, die ich zeige, nacheifern. Ich halte es nur auch nicht für den richtigen Weg, meine Fehler und Charakterschwächen zu verheimlichen. Ich finde es falsch, dass überhaupt zur Bewertung stehen soll, wie wir Frau sein wollen. Ich lasse mir Botox spritzen, weil ich früher keine Angst vorm Altern hatte. Dann habe ich gesehen, wie die Öffentlichkeit, für die ich mich freiwillig entschieden habe, mit dem Alter von Frauen umgeht, und plötzlich stehe ich in der Praxis meiner Dermatologin und lerne alles, was ich niemals wissen wollte, über die Falten, die ich das erste Mal gesehen habe auf einem Foto, das Max im Urlaub von mir gemacht hat.

DICKE, UNVERSCHÄMTE FRAUEN WARTEN AUF DEINE HASSKOMMENTARE ZU OZEMPIC

2023 postete die Influencerin Remi Bader ein Video, in dem sie ihren damals 800 000 TikTok-Follower unter Tränen mitteilte, dass sie fertig sei. Fertig damit, Teile ihrer *health journey* im Internet zu teilen. Bader hatte in den vergangenen Jahren auf ihrem immer weiter wachsenden Account ihre Probleme mit Essattacken und damit verbundenen Gewichtszunahmen dokumentiert. Die Reaktionen darauf waren teilweise grausam – von Hinweisen, man müsse sich eben mal ein wenig zusammenreißen, bis hin zu leidenschaftlichen Diskussionen, ob ihr Freund überhaupt mit ihr zusammen sein wolle, wo sie doch so dick geworden sei. In ihren Videos berichtete sie von Therapie-Versuchen in Kliniken für Essgestörte und die damit verbundene Gewichtszunahme, weil die Ärzte ihr verboten, weiter Kalorien zu zählen. Sie dokumentierte ihre chronischen Rückenschmerzen, ihre psychischen Probleme. Aber sie war auch der *funny fat friend,* der uns jahrzehntelang in Spielfilmen und

Serien vorgestellt wurde: die scheinbar überselbstbewusste, asexuelle und vor allem ständig fröhliche Projektionsfläche für alle Vorurteile, die die Zuschauerin über dicke Frauen hatte. Berühmt in ihrer Zielgruppe wurde sie mit *Zara*-Hauls, in denen sie paketeweise Kleidung der Fast-Fashion-Kette anprobierte und demonstrierte, wie albern die zu engen Kleider an ihr aussahen. Remi Bader war ein Hybrid, der sich Anfang der 2020er noch schwer einordnen ließ, sie war eine dicke Frau im Internet, die auch andere Sachen machte, außer darüber zu sprechen, dass sie dick war. Accounts wie ihrer kamen nach einer Hochphase der politischen Social Media auf, in denen Creatorinnen sich häufig auf ein eng mit ihrer Identität verbundenes Thema konzentrierten, ihre Inhalte waren monothematisch und damit leichter einzuordnen. Remi Bader nahm ihre Follower auch mit auf PR-Reisen von Kosmetik- und Fast-Fashion-Marken, oft war sie die einzige dicke Frau, ihre Anwesenheit wirkte deplatziert, der einzige große Körper zwischen unzähligen kleinen Körpern. Bader sprach offen darüber, dass sie unter ihrem Körper litt, weniger psychisch, eher physisch. Sie hatte Schmerzen, schlechte Blutwerte, war außer Atmen, wenn sie Treppen steigen musste. Einmal dokumentierte sie, wie ihr bei einem Ausritt verboten wurde, das Pferd zu besteigen, weil sie zu schwer dafür war. Bei einem Besuch des Musikfestivals Coachella filmte sie ein (wahnsinnig lustiges) Video von einer Rikscha, in dem ihr vor Lachen die Tränen die Wangen herunterliefen, weil sich der Rikscha-Fahrer offenbar abmühte angesichts ihres höheren Gewichts. Bei einem Influencer-Trip einer Kosmetikfirma brach sie das Yoga-Training, das für größere Körper ungeeignet war, ab und postete eine versöhnliche Story davon, die offenbar vor allem darauf aus war, nicht die Marke, die sie bezahlte, um dort zu sein, bloßzustellen.

Remi Bader postete aber eben auch Videos von Hochzeiten, testete jüdische Delis in New York, zeigte Pärchenvideos von sich und ihrem Freund. Alles Inhalte, die nichts mit ihrem Körper zu tun hatten, auch wenn in den Kommentaren ausnahmslos Menschen ihre Meinung zu ihrem Körper mitteilten. Die Begründung war offenbar diese: sie redet ja selbst ständig über ihren Körper, dann kann sie nicht plötzlich entscheiden, dass in diesem einen Video ihr Körper keine Rolle spielen soll.

Remi Baders Gewicht war nicht gesund für sie, das stellte sie an vielen verschiedenen Stellen klar. Ihre Knochen litten unter dem Gewicht, sie hatte Schmerzen, fühlte sich nicht fit, die ständigen Essattacken brachten ihre Hormone durcheinander, sie bekam Akne, war müde, sagte Events spontan ab, weil sie unter ihrem Körper litt, äußerlich oder innerlich. Paradoxerweise wurden die Reaktionen ihrer Followerinnen nicht sanfter, je mehr sie zu leiden schien. Sie solle sich zusammenreißen und einfach aufhören, ständig etwas in sich reinzustopfen, tönte es aus der Ecke des einen Extrems. Sie solle ihre Kurven feiern und aufhören, sich für ihre Kilos zu schämen, aus der anderen. Bader provozierte gleich zwei prominent vertretene Gruppen. Die einen, die jede Art von Körperoptimierung für Selbsthass und Dickenfeindlichkeit halten, und die anderen, die es als Zumutung empfinden, wenn eine Frau weniger gehorsam ist, als sie es gerne hätten.

Die Feministin Naomi Wolf schrieb in *Der Mythos Schönheit:* »Eine Kultur, die sich auf die Dünnheit von Frauen konzentriert, ist nicht besessen von weiblicher Schönheit, sondern von weiblichem Gehorsam. Diät zu halten ist die wirksamste politische Beruhigungsspritze in der Geschichte; eine Bevölkerung, die im Stillen den Verstand verloren hat, ist eine, die sich leicht im Zaum halten lässt.«

Das Schockierende an Remi Bader für viele war, dass sie mit allem, was sie tat, nicht gehorchte. Sie besaß die Frechheit, ein schönes Leben zu führen in einem Körper, den sie selbst nicht schön fand. Sie ging auf Influencer-Trips, die in der Regel für dünne Körper gedacht waren, gleichzeitig war sie auch keine brave Dicke, sondern das, was im Zeitgeist Anfang der 2020er verpönt war: Sie war unzufrieden damit, wie sie aussah, und tat alles dafür, es zu ändern. Sie weigerte sich, die klassische Social-Media-Lüge zu leben, indem man die politisch korrekteste Version von sich präsentiert und im Heimlichen das tut, was alle zu tun scheinen: Kalorien zählen, Botox spritzen, dem Ex-Freund doch noch mal eine Chance geben.

Als sie 2023 unter Tränen das Video postete, in dem sie ihren Followern erklärte, sie würde in Zukunft nichts mehr mit ihnen teilen, was mit ihrem Körper und ihrer Gesundheit zu tun hatte, provozierte sie ihre Teilöffentlichkeit weiter. Beziehungen zwischen Influencerinnen und ihrer Followerschaft können ein kompliziertes Machtspiel sein. Nur eine Seite weiß von der Existenz der anderen Seite, Follower saugen immer weiter Informationen über einen fremden Menschen im Internet auf, füllen Informationslücken mit Mutmaßungen und halb wahren Behauptungen aus der Klatsch-Presse und aus Internet-Foren, sie projizieren ihre Sehnsüchte und ihren Ekel bis zu dem Punkt, an dem dieser fremde Mensch als Inspirationsquelle oder Enttäuschung dienen kann. Gerade Frauen mit einer großen Reichweite sind einer gesellschaftlichen Erwartung ausgesetzt, gehorsam oder mindestens brav zu sein. Dazu kommen potenziell Dutzende, nein, Hunderte weitere Erwartungen, die nicht miteinander in Einklang zu bringen sind. Sich dem Spiel komplett zu entziehen, ist unmöglich, immerhin sind die Erwartungen der Zuschauer die größte und wichtigste Einnahmequelle einer Influencerin. Wer die eine Seite zufriedenstellt, enttäuscht automatisch die andere, wer sich den Erwartungen komplett entzieht, stellt die eigene Lebensgrundlage infrage.

Als Remi Bader ihr Video postete, war ich mir eigentlich sicher, dass das eine Art Vorbereitung auf einen anstehenden Eingriff sei, eine Absicherung, auf die sie sich später berufen könnte, wenn sich ihr Körper verändert hätte und sie nicht bereit sein würde, ihrer Öffentlichkeit die Informationen bereitzustellen, die sie verlangte. Ich glaubte, Bader auf eine Art zu *kennen,* ich war eine parasoziale Beziehung zu dieser fremden Frau am anderen Ende der Welt eingegangen, ich bildete mir ein, sie zu durchschauen. Bader faszinierte mich, sie war lustig, wunderschön, war das Kind einer wohlhabenden jüdischen Familie in New York, machte Urlaub in den Hamptons. Sie war selbstbewusst und führte ein Leben, das ich bisher nur in Serien bewundert hatte. Und sie tat all die Dinge, die ich auch gerne tun würde, *obwohl* sie dick war. Sie ging an Orte, die für Dünne gemacht waren, sie führte ein Leben, von dem Frauen gerne eingeredet wird, dass sie es erst genießen dürfen, wenn ihr Körper passend aussieht. Ich bewunderte sie. Und ich war ein bisschen neidisch. Sie tat, was ich und so viele andere Frauen sich nie getraut hätten zu tun. Sie war dick. Und trotzdem glücklich. Nicht im Sinne von: wie kann man glücklich sein, obwohl man dick ist, das ist mühelos möglich. Nein, sie war glücklich, obwohl sie nicht mochte, wie ihr Körper aussah. Ich war unendlich fasziniert davon. Ich studierte den Blick, den ihr Freund ihr bei einem zufällig gefilmten Video auf einer Party zuwarf, und glaubte, ablesen zu können, dass bald eine Trennung anstand. Ich war mir sicher zu erkennen, wenn sie ein Kleid trug, in dem sie sich nicht wohlfühlte, weil eine Marke sie dafür bezahlt hatte. Ich hatte sie mir monatelang angeschaut und überprüft, ich hatte mich selbst in ihr gesucht und zum Teil gefunden, ich bewunderte sie, sie tat mir leid, sie war kein Mensch mehr, sondern ein Produkt, mit dem ich zumindest im Stillen umgehen konnte, wie ich wollte, es gehörte mir, und das Einzige, worauf ich achten musste, war, dieses Anspruchsdenken nicht zu sehr in den Kommentarspalten unter ihren Videos auszuleben. Ich hätte ganz genauso ein Video gepostet, wenn ich in ihrer Situation gewesen wäre, es war ein *nobrainer,* die logischste Lösung für ein zutiefst unlogisches Problem, dem nämlich, dass man die eigenen Follower *unglücklich* machen würde mit dem Versuch, im eigenen Körper glücklich zu werden. Statt in den kommenden Monaten den immer offensichtlicher werdenden Gewichtsverlust der Meinung des Internets auszusetzen, gab sie sich selbst einen Freibrief: ihr habt den Bogen überspannt, ich sage euch in Zukunft gar nicht mehr, was bei mir abgeht.

Knapp eineinhalb Jahre später hatte Remi Bader mehr als 60 Kilogramm abgenommen. Unter jedem Video, das sie von sich postete, begann innerhalb weniger Minuten eine Debatte darüber, ob sie Ozempic nehme, ob es eine Operation gewesen sei, vielleicht sei sie einfach von ihrem toxischen Freund getrennt. Bader besaß nach allem, was sie sich herausgenommen hatte, dann auch noch die Frechheit, ihre Öffentlichkeit nicht zu informieren über die Methode ihres Gewichtsverlustes. Erst im Frühjahr 2025 war sie im Podcast von Khloé Kardashian zu Gast und erklärte detailliert, welcher Art von Magenband-OP sie sich unterzogen hatte. Die Nachricht wurde behandelt wie eine Eilmeldung, als hätte sie ein Schweigen gebrochen, das von Anfang an unverschämt gewesen wäre. Sie sprach über das Anspruchsdenken ihrer Follower, mit dem sie sich konfrontiert sah, damit, dass die Leute enttäuscht schienen, weil sie abnehmen wollte. Sie selbst war von ihrem Körper enttäuscht, dass er es nicht schaffte, gesund und dick gleichzeitig zu sein, immerhin war es ja das, was die Leute von ihr zu wollen schienen. Sie war nie unglücklich wegen ihres Gewichts, erklärte sie, sie wollte einfach wieder schmerzfrei sein. Das Interview ist berührend und klinisch gleichzeitig, eine einzigartige Mischung, die niemand so beherrscht wie die Kardashians. Das Einzige, was sich für Remi Bader änderte, war, dass die ersten zehn Kommentare unter jedem ihrer Beiträge nicht mehr das Wort Ozempic enthielten. Die Enttäuschung blieb, wenn sie nicht sogar noch größer wurde. Remi Baders Geständnis brachte Dutzende US-amerikanische dicke Influencerinnen dazu, Bader öffentlich harsch zu kritisieren. Sie hätte ihren Ruhm auf dem *Körper-Ticket* bekommen und trete die Community jetzt mit Füßen. Bader habe Dicke immer gehasst, anders ließ sich ihr Gewichtsverlust ja wohl nicht erklären.

Baders Gewichtsverlust kam zu einer Zeit, in der reihenweise Hollywood-Stars durch Ozempic binnen weniger Wochen enorm abnahmen. Die Empörung gab sich als eine moralische aus, die die unterschiedlichen Klassen gegeneinander aufbrachte: Auf der einen Seite Diabetes-Patienten, die das eigens für ihre Krankheit entwickelte Medikament nicht bekamen, weil auf der anderen Seite ultrareiche Superstars die Spritzen zweckentfremdeten, um ohne viel Arbeit Gewicht zu verlieren. Ozempic unter das Foto eines Promis zu schreiben, sollte also aussagen: Tu es wenigstens nicht heimlich, wenn du schon durch deine Eitelkeit Menschen sterben lässt. Das Argument war nachvollziehbar und valide. Das Aufkommen von Ozempic hatte unglaublichen Einfluss auf die Popkultur: Plötzlich war es erstrebenswert, ständig unter Beweis zu stellen, dass man sich seinen Körper *verdient* hatte. Das Medikament entlarvte gleich eine ganze Reihe von bisher unausgesprochenen Denkmustern: Dünne Menschen waren empfindlich, wenn andere begannen, plötzlich einfach mithalten zu können. Außerdem verlor die Macht des Dünnseins an Relevanz, die doch bis dahin alle Frauen fest im Griff gehabt hatte. Jahrzehntelang war das Versprechen von Dünnheit der wirkungsvollste Weg, vor allem Frauen einzureden, jede Art von Schönheitsideal sei für sie zu erreichen, wenn sie sich nur anstrengten. Dünnsein wurde nie als etwas dargestellt, was sich aus vielen Faktoren ergeben kann (Fleiß und Disziplin sind die weniger relevanten), sondern als etwas, das man nur durch harte Arbeit und Willensstärke erreichen könnte. Dünnheit war eine Art Erkennungszeichen und wurde dadurch für die, die es nicht hatten, zu einem erstrebenswerten Ziel. Wenn es wirklich möglich ist, abzunehmen, dann lohnt es sich auch, Hunger zu haben. Das Aufkommen von Ozempic stellte aber auch die Daseinsberechtigung berühmter Influencerinnen infrage. Besonders dünn, besonders schön, besonders hot zu sein war die ultimative Rechtfertigung, die Frauen vorbringen konnten, wenn sie für die unvorstellbar hohe Summen an Geld und den luxuriösen Lebensstil von Influencerinnen angegriffen wurden. Dünnsein ist eine Frage der Disziplin – wer dünn ist, ist schöner anzusehen, wer schön anzusehen ist, kann Influencerin werden, so schien die Logik. Wenn jetzt *alle* dünn sein können, wie rechtfertigt man dann noch, dass man von einer Kosmetikmarke eine Woche nach Hawaii eingeladen wird, weil man gut in einem Bikini aussieht? Genauso gut wie irgendwann *alle* in einem Bikini aussehen?

Die Ernsthaftigkeit, mit der Ozempic angeprangert wurde, kam aus derselben Ecke, in der Remi Bader aneckte, bevor sie abgenommen hatte: Wie kommt eine dicke Frau dazu, trotzdem unglaublich viel Geld damit zu verdienen, dass man sie ansieht? Wieso geht sie auf dieselben Events, auf denen die dünnen, fleißigen Frauen sind? Wie kam sie an eine Einladung, wo sie sich doch offensichtlich nicht genug Arbeit gemacht hatte, da sein zu dürfen?

Unter Beweis zu stellen, dass man sich *Arbeit* machte, wurde die beste Methode für Celebritys und Influencerinnen, auf das Aufkommen von Ozempic zu reagieren. Kim Kardashian begann, regelmäßig die Workouts aus ihrem Privat-Gym zu posten, die Sängerin Rosalia erzählte in einem Interview bei der Met Gala mit Stolz in der Stimme, dass sie in Vorbereitung vor allem Fisch und Gemüse gegessen hatte, die Sängerin Meghan Trainor begann, öffentlich von ihrer Faszination für *biohacking* zu sprechen, bei dem man durch Nahrungsergänzungsmittel das volle Potenzial des eigenen Körpers ausschöpft (ehe sie später zugab, eine Abnehmspritze zu nehmen). Der US-amerikanische Edelsupermarkt

Erewhon wurde eine Art Mekka für Influencerinnen und It-Girls. Einer ihrer ultragesunden Smoothies für rund 20 Dollar ist eins der häufigsten Accessoires von Promi-Frauen auf Paparazzi-Fotos. Taylor Swift bekam Anerkennung für ihre *Workout Routine*, mit der sie sich auf ihre Welttournee vorbereitete (drei Stunden lang singend auf dem Laufband sein), *Pilates* wurde ein Tik-Tok-Lebensgefühl. Sich gesund ernähren, seinen Körper bewegen, für das eigene Aussehen leiden, schwitzen, sich anstrengen, all das wurde erstrebenswert, fast ehrbar. Und inmitten dieses Lifestyle-Wechsels wurde eine Frau zum mächtigsten It-Girl der 2020er: Hailey Bieber.

DÜNNE, BRAVE FRAUEN WARTEN AUF DEINE HASSKOMMENTARE

Wie Millionen andere Frauen schaute auch ich im Jahr 2021 Hailey Bieber dabei zu, wie sie in der Sonne sitzt und auf einen Schlag Millionen verdient. Sie reckt ihr Gesicht ins Licht, ihre Haut schimmert, sie wirkt entspannt und zufrieden, sie trägt verschiedene Produkte auf, Seren, Cremes, ein milchiges Gesichtswasser. Das Ganze ist ein kurzer Werbeclip für ihre Kosmetiklinie *Rhode.* Zwischen den verschiedenen Schritten richtet sie immer wieder ihr Gesicht Richtung Sonne aus, ihr Teint reflektiert die Sonnenstrahlen und leuchtet. Sie wolle aussehen wie ein *glazed donut,* erklärt sie, ihre Haut solle durch die Kosmetik glänzen wie ein Donut mit Zuckerglasur. Ich hatte keine Chance, dem *Glazed-donut*-Video von Hailey Bieber zu entkommen. Dann hatte ich keine Chance, den Parodien dieses Videos zu entkommen. Dann kamen Videos, in denen der *Glazed-donut*-Trend getestet wurde, schließlich Videos, in denen Influencerinnen *Rhode* testeten. Mich beeindruckte, mit welcher Ernsthaftigkeit Hailey Bieber das betrieben hatte, man *glaubte* ihr, dass es wichtig sei, Zuckerglasur-Haut zu haben, weil sie die verschiedenen Skincare-Schritte mit einer solchen Ernsthaftigkeit ausführte, ohne jede Spur von Ironie. Das alles schien eine sehr ernst zu nehmende Angelegenheit zu sein.

Ich mochte Hailey Bieber nicht. Ich fand sie langweilig und ahnte, dass sie keinen Humor hatte, ich projizierte meine Vorurteile, die ich über normschöne blonde reiche Influencerinnen angehäuft hatte, auf sie. Vielleicht war ich auch einfach überreizt davon, was ich über sie wusste, obwohl ich ihr nicht folgte. Ich wusste, dass sie die Ehefrau von Justin Bieber ist und dass die Fans von Selena Gomez (Justins Ex-Freundin) deswegen ein Problem mit ihr hatten. Ich wusste, dass ihr Onkel Alec Baldwin ist und ihr Vater damit Stephen Baldwin. Je mehr ich über sie erfuhr, desto mehr wurde meine Ablehnung zu Desinteresse. Das Desinteresse wurde durch ihre bloße Omnipräsenz irgendwann zu Interesse, oder zu so etwas wie Interesse, bei dem man gleichgültig zuschaut. Klicks ist ja egal, wie man es meint. Und irgendwann lief ich mit einem Screenshot ihrer Hände zu meinem Nagelstudio. Hailey Bieber hatte *Glazed-donut*-Nails erfunden. Ich erklärte meiner Nageldesignerin, dass ich leider nicht wüsste, wie man das hinbekäme, diesen glänzenden Effekt, sie zuckte nur unbeeindruckt mit den Schultern. Sie wisse, wie das geht, ich sei die zwölfte diese Woche, die diese Nägel wolle.

Hailey Bieber war ein It-Girl geworden, ohne ständig betrunken aus Bars zu stolpern, ohne Party-Fotos von Paparazzi, ohne Nippelblitzer oder nennenswerte Skandale. Hailey Bieber lief durch L. A., launchte *Rhode,* ging zum Pilates, erfand einen viralen Smoothie bei Erewhon. Sie passte die perfekte Zeit ab, zu der man einer Frau dabei zusehen wollte, wie sie sich Arbeit machte, um berühmt zu sein. Hailey Bieber war gesund, sie machte Sport, sie war gründlich, vielleicht sogar ein bisschen langweilig. Aber wenigstens musste man sich nie die Frage stellen, ob sie *faul* war.

Es war kein Zufall, dass alles an ihr glänzen sollte. Ihre Haut war *glazed,* genau wie ihre Nägel, auf roten Teppichen war ihr Dekolleté mit einem schimmernden Öl eingerieben, alles an ihr schien zu leuchten, die Personifizierung von *glow.* Nachdem die schweren aufwendigen Make-up-Trends aus den 2010ern durch die Homeoffice-Welle während der Pandemie überflüssig und vielleicht sogar geschmacklos-glamourös im Angesicht einer weltweiten Krise schienen, wurde es stattdessen erstrebenswert, gesund zu wirken. Bieber machte den Lifestyle, der angeblich zu ebendiesem *gesunden glow* führte, sichtbar. Sie achtet auf sich. Sie ernährt sich gut. Sie geht zum Sport. Sie hält sich zurück. Hailey Bieber war Patient null des *Clean-girl*-Trends. Eine neue, brave Frau war geboren, gerade rechtzeitig, als Ozempic drohte, Frauen faul werden lassen zu können.

Clean girls zeichnen sich dadurch aus, gepflegt, vornehm und aktiv zu sein, sie tragen zurückhaltenden Schmuck, ihr Make-up ist dezent und vorteilhaft, ihre Körper sind trainiert, glatt und gebräunt. Sie sind wohlhabend – zumindest gehört zum *Clean-girl*-Phänomen, in teuren Sportklamotten hochpreisige Smoothies zu trinken und exklusive Pilates-Kurse zu belegen. Auf eine Weise spielen *clean girls* den Lifestyle wohlhabender Ehefrauen in Großstädten nach, die selbst keiner Arbeit nachgehen, weil sie reich geheiratet haben.

Clean girls waren der erste Vorbote einer Rückbesinnung auf Dünnheit und Hotness als wichtigstem Maßstab für Attraktivität, während sich im Internet noch die Behauptung hielt, Bodypositivity und Diversität hätten endgültig gewonnen. Es waren die Frauen, die andere Frauen offenbar wirklich sehen wollten, während Mode- und Hautcreme-Marken noch dachten, es würde die Verkäufe ankurbeln, dicke Frauen mit *echter* Haut auf ihre Plakate zu drucken. *Clean girls* sind mehr als eine bloße Ästhetik, es ist ein Wettbewerb, der Gipfel des Körperkults.

Clean girls sind *natürlich,* das ist zumindest die Behauptung, sie schaffen es, mit viel harter Arbeit und Disziplin all das zu sein, was Frauen in sozialen Netzwerken ohnehin sein sollten. Selbstbewusst, aber nicht arrogant, athletisch, aber nicht massig, aufs Äußere bedacht, aber nicht zu gestylt. Sie schaffen es, die höchste Seinsstufe von Weiblichkeit zu erreichen, indem sie genug Disziplin aufbringen dafür, eine gute Frau, ein *sauberes Mädchen* zu sein. Der Look von *clean girls* ist nicht einfach ein Outfit, er ist die Summe davon, wie das *clean girl* seine Tage verbringt. Die Haare trägt sie nach hinten gegelt, weil sie dann vom Sport direkt ins Büro fahren kann, die gute Haut und positive Ausstrahlung erzielt sie durch regelmäßiges Tagebuchschreiben, viel Wasser trinken, Meditieren und Aufräumen, den Körper durch Pilates, Yoga und gesunde Ernährung. So, wie es die perfekte Ausrede sein kann für Konsum, *obsessed* mit etwas zu sein, ist es eine genauso gute Ausrede, sich ein Label zu geben, das mehr sein will als die Zugehörigkeit zu einer Subkultur, es ist eine Identität. Ein *clean girl* braucht all die Produkte, die Yoga-Hosen, die Sonnenbrillen, die Handyhülle von Hailey Bieber Marke *Rhode,* den Stanley-Cup in Reinweiß, die Ugg-Boots und die kleinen Kreolen. *It's not a phase, mom, it's a lifestyle.*

Clean girls sind die Blaupause für eine fast lächerlich große Menge an weiteren Lifestyles, die Frauen durch das Kaufen der richtigen Outfits angeblich leben könnten. Teilweise waren es ironische Reaktionen auf den übermächtigen *Clean-girl*-Trend, im Kern kopierten sie aber die Denkweise. Man konnte plötzlich eine *mob wife* sein, also die Ehefrau eines Gangsters, die Pelzmäntel und maximalistischen Goldschmuck trägt, enge Kleider aus Leo-Print – das Versprechen lautete, dass *mob wives* begehrenswert, tough und *street smart* sind. Es gab *coastal grandmothers,* die den Lebensstil wohlhabender Ladys in New England imitieren und sich in klassischer und leicht altmodischer Kleidung präsentierten. Oder sie gaben sich dem *old money style* hin, der darauf aus war, die Lebensart US-amerikanischer Dynastien nachzuahmen, in der Regel mit Kleidung von *Zara.* Das Imitieren fremder Leben hat etwas Spielerisches, ungefähr so wie Kinder, die Astronaut oder Feuerwehrmann werden wollen. Und es hat etwas Harmloses: Das Nachkaufen von Pelzmänteln und Tragen von goldenen Ketten über Leo-Pullovern zwingt einen eben noch nicht, in einen gewalttätigen Clan einzuheiraten. Das sich absichtliche Einordnen in eine Schublade scheint wie eine Gegenreaktion der Sehnsucht junger Frauen aus den Jahrzehnten davor, alles sein zu können, alles tun zu können, mehrdimensionale Wesen sein zu können. Bitte sag mir, wer ich bin, was ich anziehen soll, welche Musik ich höre und welchen Sport ich gerne mache.

Mit derselben Ironie, mit der Frauen *girl math* vorantrieben oder begannen, sich selbst als *fotzig* zu bezeichnen, ordneten sie sich in Schubladen ein, um mit höchstens zwei Wörtern definiert werden zu können. Es musste immer ein Augenzwinkern mitgedacht werden, wenn eine Frau sich selbst als *clean girl* bezeichnete. So lange, bis das eben nicht mehr der Fall war. Die Erwartbarkeit und absichtliche Eindimensionalität konnte etwas Beruhigendes haben. Was würde ein *clean girl* tun, diese Frage konnte man sich im Grunde in jeder Lebenssituation stellen. Es war eine Methode, die man pausenlos auf das eigene Leben anwenden konnte, die einem immer und immer wieder Fragen beantwortete, mit denen man sich sonst selbst hätte beschäftigen müssen.

2023 ließ Hailey Bieber sich von Paparazzi fotografieren, es war diese Art von vermeintlich beiläufigem Foto, auf dem sie zu perfekt aussah, was wohl bedeutete, dass sie die Fotografen bestellt und auch bezahlt hatte. Auf den Fotos schien sie entspannt, fast cool, lief in Jeans und T-Shirt auf die Kamera zu, blickte aber beiläufig zur Seite, als würde sie die Kamera nicht bemerken. Auf ihrem T-Shirt stand in kleinen, serifenlosen Lettern:

Nepo baby

Das T-Shirt war eine Reaktion auf die damals anhaltende Diskussion darum, ob die Kinder berühmter Eltern möglicherweise *leichter* berühmt würden als andere. Die Töchter und Söhne der Angelina-Jolie-

Filmstar-Generation waren im Begriff, erwachsen zu werden, sie waren alt genug, um selbst Hauptrollen in Filmen anzunehmen und – möglicherweise – anderen, weniger privilegierten Schauspielerinnen und Schauspielern die Jobchancen zu minimieren. Maya Hawke, Tochter von Ethan Hawke und Uma Thurman, hatte die Hauptrolle in der Mega-Netflix-Serie *Stranger Things*, Regisseurinnen-Tochter Maude Apatow spielte in *Euphoria* mit, Lily-Rose Depp, Tochter von Johnny Depp und Vanessa Paradis, hatte Mitte der 2020er ihre ersten Hauptrollen in Spielfilmen erhalten. Und dann gab es da noch die Kinder berühmter Hollywood-Stars, bei denen man gar nicht wusste, wer in ihrer Familie so vorkam. Lily Collins, die die Titelheldin in *Emily in Paris* spielt, ist die Tochter von Phil Collins, Dakota Johnsons Mutter ist die Schauspielerin Melanie Griffith, Supermodel Kaia Gerber ist die Tochter von Supermodel Cindy Crawford. Und: Hailey Bieber ist die Nichte von Alec Baldwin.

Ihr T-Shirt war der Versuch, die anhaltende Diskussion *ironisch* zu beenden, sie wollte den Begriff umdeuten, zu einem Titel, den man mit Ehre trägt, statt peinlich berührt zu sein. Der Nepotismus-Vorwurf stellte – ähnlich wie Ozempic – das bisher geltende System infrage. Wenn Dünnsein keine Errungenschaft mehr ist, ist der Ruhm dieser Menschen dann verdient? Wenn mein

Lieblings-It-Girl seinen Reichtum und seine Berühmtheit nicht verdient, sondern *geerbt* hat: macht Hollywood dann noch Sinn?

Die Behauptung, es allein durch Disziplin und harte Arbeit an die Spitze geschafft zu haben, ist bis heute ein wichtiger Teil der Rechtfertigung, wieso es okay ist, den eigenen Hyperreichtum zur Schau zu stellen. Ich habe mir das verdient. Und nicht: Mein Papa war schon berühmt.

Einige Nepo Babys haben im Zuge der Debatte versucht, die eigene Privilegiertheit so umzudeuten, dass sie in Wahrheit keine Vorteile, sondern vor allem Nachteile schaffte: Wer berühmte Eltern hat, wird immer den Vorwurf aushalten müssen, berühmte Eltern zu haben.

Hailey Bieber versuchte es stattdessen mit der Art von Unverschämtheit, die einem vor allem dann gerne verziehen wird, wenn man eine junge, wunderschöne Frau ist. Wenn man ganz viel Glück hat, verhilft einem diese Chuzpe kurzzeitig zu seiner Art Legendenstatus. Als Victoria Beckham in der Netflix-Doku ihres Mannes David in einem Interview behauptete, sie sei in der *working class* aufgewachsen und David sie aus dem Nebenzimmer darauf hinweist, dass ihr Vater einen Rolls-Royce gefahren habe, verkaufte sie wenige Monate später T-Shirts mit der Aufschrift my dad had a rolls-royce. Naomi Campbell reagierte auf die öffentlich gemachten Vorwürfe, sie hätte ihre Assistentin geschlagen, indem sie kurz darauf in einem T-Shirt auf die Straße ging, auf dem Naomi hit me … And I loved it stand. Winona Ryder war angeklagt, weil sie Kaschmirpullover von Marc Jacobs geklaut hatte, und erschien zum Gerichtstermin in einem Kaschmirpullover von Marc Jacobs.

Hailey Bieber jedoch scheiterte an dem Versuch. Das T-Shirt wurde ihr nicht *geglaubt,* man nahm ihr nicht ab, dass es ihr wirklich egal war, was die Leute von ihr dachten. Hailey Bieber konnte nicht von jetzt auf gleich unverschämt und gleichgültig sein, wenn sie berühmt dafür geworden war, ein *clean girl* zu sein, ein eifriges, braves, sauberes Mädchen. Die freiwillige Kategorisierung, die sie für sich selbst und Millionen andere *clean girls,* die ihr nacheiferten, erfunden hatte, zeigte plötzlich seine Nachteile. Hailey Bieber war Opfer ihrer eigenen Schublade geworden. Sich selbst und die eigene Lebensart zu einem Schlagwort verkommen zu lassen, hat den Vorteil der Eindeutigkeit, *clean girls* sind leicht vermarktbar, man hat keine Fragen an sie. Wer sich erst mal zu einem Trend bekannt hat, der davon lebt, zu behaupten, so viel mehr zu sein als ein Trend, nämlich ein ganzes Leben, eine Aneinanderreihung von frei getroffenen Entscheidungen, verschlagwortet den eigenen Charakter. *Clean girls* sind zu brav, diszipliniert, zu glatt, glowy, zu *sauber,* um plötzlich ein unverschämtes T-Shirt tragen zu können und dabei ernst genommen zu werden.

Wenige Jahre später war der Höhepunkt des Trends erreicht, als *clean* ein Adjektiv wurde, das nicht mehr *sauber* meinte, sondern die Ästhetik der *clean girls* meinte. 2024 hatte jede Kosmetikmarke *Glow drops* oder *glowy Make-up* in seinem Programm, ALDI verkaufte eine Pilates-Maschine für zu Hause, der US-amerikanische Kosmetik-Hersteller *Sephora* litt unter der Flut buchstäblicher *girls,* Mädchen, die gerade einmal zwölf Jahre alt waren und bei der Suche nach ihrer ersten Skincare-Routine die Filialen der Kette verwüsteten. Hailey Bieber verkaufte *Rhode* für über eine Milliarde Dollar.

Als *clean girls* sich auf der Hochzeit ihrer popkulturellen Bedeutung befanden, im Spätsommer 2024, fuhr die Sängerin Charli XCX in einem giftgrünen Tesla in einem Club in London vor und feierte den Release ihres anstehenden Albums *brat.* Das Pendel war im Begriff, zurückzuschwingen, und entweder hatte Charli XCX Glück oder sie war eine Visionärin, aber sie prägte an diesem Abend aus dem giftgrünen Tesla heraus eine neue Ära. Die *Göre* war wieder da. Die Empfindsamkeit und Selbstoptimierung der vergangenen Jahre waren im Begriff, abgelöst zu werden. *Brat* war unverschämt, exzessiv, gleichgültig gegenüber Konventionen, übersexualisiert und drogenverherrlichend, unterhaltsam und *off.* Charli XCX trug Sonnenbrille bei Interviews und hatte bei einigen ihrer ersten wichtigen Promo-Auftritte eine Handtasche über der Schulter, während sie auf der Bühne performte, die endgültige Pose der Nebensächlichkeit. *Brat* bestand daraus, sich eben nicht selbst zu optimieren, nicht in jedem Sport-Studio nach der besten Version von sich zu suchen. Das Artwork von *brat* und die Outfits von Charli XCX wurden Teil der neuen Uniformen all jener, die sich von den *Clean-girl*-Derivaten nie gesehen gefühlt haben. Charli tauchte überall da auf, wo die anderen Popstars auch waren, aber es schien, als hätte sie wirklich ein wenig mehr Spaß auf dem roten Teppich, ihre Outfits waren ein wenig skandalöser, ihre Auftritte etwas chaotischer, ihre Partycrew, die sie im *brat s*ummer um sich scharte, war illustrer. Man nahm ihr ab, dass sie an *brat* glaubte, dass sie eine Göre *war.* Als sie in der *Vogue-Beauty-Secrets*-Reihe auftauchte, erklärte sie das Geheimnis hinter ihrem Make-up-Look: eine Nacht darin schlafen.

Brat war essenziell: Entweder man war es, oder man war es nicht. Es war *das gewisse Etwas,* das Gleiche, weswegen man Romy Mars Coppola verzieh, dass sie mit dem Grammy ihres Vaters angab, und Hailey Bieber sich nicht erlauben konnte, in einem *Nepo-Baby*-Shirt herumzulaufen. *Brat* war so etwas wie die *It-Girl-Essenz,* eine Formel, die all jene belohnte, die jahrelang Dinge getan hatten, nur, um sie zu tun, und nicht, um ein besonderes Ziel zu erreichen. Auf eine Art war *brat* die größte Widersacherei, die der Pop im Kapitalismus hervorbringen könnte: kaufe nicht, lebe! Und wenn du konsumierst, lass es wenigstens Drogen sein und keine Work-out-Sets.

Der Sommer 2024 endete, aber der *brat summer* ging weiter. Und Charli XCX tat das, was man zwangsweise tut, wenn man lang genug beobachtet wird. Sie entkam der Schublade, die sie sich selbst gebaut hatte. Charli XCX war weiterhin eine Göre, aber sie war auch mehr als das. Sie ging zu Filmpremieren in Cannes, ohne Skandal und im eleganten Abendkleid, sie machte ihre Selbstzweifel öffentlich, nach *brat* nie wieder einen Song schreiben zu können, und schließlich ließ sie die intelligente, reflektierte Künstlerin durchblicken, die zwar in *brat* steckte, aber nicht Teil des Markenkerns war. Im April 2025 postete sie ein Video, in dem sie ein nachdenkliches, fast philosophisches Selbstgespräch führte und erklärte, sie würde sich für die *Spannung* interessieren, die sich daraus ergebe, *zu lange* zu bleiben. Was würde das mit ihr und ihren Fans machen, wenn es einen zweiten *brat summer* gäbe? Würde die Verehrung zwangsweise irgendwann in Ennui umschlagen, die sich später in Ablehnung umwandelt? Wie lange lässt es sich in der Schublade überleben, die man sich als Frau gebaut hat? Wie lange hat man es einfacher als Frau in der Öffentlichkeit, wenn man leicht einzusortieren ist?

I'm interested in the tension of staying too long.

Charli XCX spielte ein filigran austariertes Spiel mit der Öffentlichkeit, in dem sie sich ständig die Frage stellen musste, *wie* unverschämt sie sein dürfte. Sie hatte die Schönheit und Jugend, das Talent und *it,* was man haben muss, um im Namen von *girlhood* Eskapaden verziehen zu bekommen. Gleichzeitig war sie zu erfolgreich und selbstbewusst, um nicht früher oder später genau für die Dinge, die sie berühmt gemacht hatten, kritisiert zu werden. Nach ihrem Auftritt beim Coachella-Festival 2024 ging ein Foto von Charli XCX viral, das bei ihrer Aftershow-Party aufgenommen wurde. Sie trug ein weißes Kleid, auf das eine Miss-Universe-ähnliche Schärpe aufgedruckt war, auf der stand: miss should be headliner. Wenige Alben hatten die popkulturelle Relevanz erreicht wie *brat* es in diesem Sommer getan hatte, und dennoch war die Sängerin nicht auf der größten Bühne zur besten Zeit aufgetreten. Green Day hatten diesen Platz bekommen. Die Meinungen zu dem Statement waren schnell gespalten – die einen fanden es bewundernswert, dass eine Frau in der Musikindustrie ohne Angst ihren Platz einfordert, die anderen hielten eine historisch relevante Band wie Green Day für die schlechtesten Opfer für diesen etwas selbstreferenziellen Powerfrauen-Witz. Es war der erste Moment im *brat summer,* in dem die Stimmung zu kippen drohte, es war auch der Moment, in dem der Internetöffentlichkeit genau wie der Künstlerin selbst das erste Mal klar werden konnte, dass Charli XCX das Schicksal ereilen würde, was buchstäblich jede erfolgreiche Künstlerin vor ihr in Internet-Zeiten ereilt hatte. Irgendwann würden die Leute satt sein, sie würden aufhören, mit Wohlwollen auf ihre Arbeit zu blicken, sie würden ihre Kunst zu dem verstümmeln, was sie nicht war und was sie in diesem Moment aber von ihr brauchten, um ihre eigene, sich verändernde Haltung zum Zeitgeist zu verargumentieren. Irgendwann würde sie als nicht mehr görig, sondern einfach als unerträglich, selbstverliebt, unverschämt wahrgenommen. Es war nicht nötig, dass sich die Künstlerin selbst für diese veränderte Wahrnehmung verändern müsste. Die Öffentlichkeit würde das auch so schaffen. Frauen, die Kunst machen, haben selten das Privileg von Objektivität.

Paradoxerweise waren es Green Day, die Charli XCX vom drohenden Popkultur-Kippeln bewahrten. Green-Day-Sänger Billie Joe Armstrong trug bei deren Coachella-Auftritt in Reaktion auf Charlis Schärpe eine giftgrüne Cap. Aufschrift: brat.

Charli XCX begann rechtzeitig, das Ende ihrer Ära vorwegzunehmen.

Auf den Konzerten, die sie seit Beginn des *brat summer* spielte, verdeckte ein riesiger, giftgrüner *brat*-Vorhang die Rückwand der Bühne. Der Vorhang veränderte im Laufe der Monate seine Farbe – er lief braun an, bekam Risse, schien zu verrotten. Das natürliche Ende der *brat*-Ära kündigte sich für die Fans also optisch schon an, während sie noch voll im Gange war. Charli XCX nahm das vorweg, was ihr nach eigener Aussage zwangsweise bevorstand: das Ende des Erfolges mit dem, was sie da gerade tat. Der verrottende Vorhang war der Anfang vom Ende und die Klammer zu dem allerersten Auftritt, den sie in Vorbereitung auf die *brat*-Ära hatte, im Frühjahr 2024, bevor das Album überhaupt angekündigt war. In New York spielte sie in einem Boiler-Room-DJ-Set erste unveröffentlichte Remixe von ihrem neuen Album und trug dabei das T-Shirt, das in seiner rätselhaften Unverschämtheit die görige Zeit, die ihren Fans bevorstand, vorwegnahm. CULT CLASSIC stand da in großen schwarzen Lettern geschrieben. Sie kündigte den Best Case an, mit dem ihre Album-Ära irgendwann enden könnte, wenn sie *brat* rechtzeitig und aus eigenen Stücken verrotten lassen würde, ehe ihr die Social-Media-Öffentlichkeit zuvorkommen könnte. Das Album des Sommers könnte sie zu einem Kultklassiker werden lassen. Etwas, was nicht mehr infrage gestellt wird, zeitlos ist, nicht mehr der ständigen Bewegung eines Popkultur-Pendels ausgesetzt ist.

Die Hektik und Entschiedenheit, mit der Social Media Popkultur auf- und im Anschluss wieder abwertet, hat die Grundlage gelegt für eine völlig neue Art, Kunst zu machen. Menschen in der Öffentlichkeit können es sich nicht mehr erlauben, als dauerhaft präsente Person gesehen zu werden, die in jedem Moment mit jeder ihrer Arbeiten in Verbindung gebracht wird. Zu groß das Risiko, von jetzt auf gleich nicht mehr dem Zeitgeist zu entsprechen und mit allen Alben, Filmen oder Auftritten auf einmal in der vorübergehenden Bedeutungslosigkeit zu versinken. Stattdessen werden neue Projekte im Pop in *Ären* unterteilt, die mit vollständigen Neuerfindungen der Personen, die dahinterstehen, einhergehen. Schauspielerinnen bewerben ihre Filme, indem sie sich thematisch passend auf roten Teppichen zeigen, in Designer-Kleidung, die Thema und Ästhetik des Filmes aufgreifen, den sie promoten. Popstars knüpfen mit neuen Alben bewusst nicht an alte Cover, Outfits oder Bühnenbilder an, sondern erfinden neue Welten. Sie *rebranden* sich mit großer Regelmäßigkeit, drücken eine Art Reset-Button, um alte, weniger erfolgreiche Ären hinter sich lassen zu können oder alte Arbeit vor dem potenziellen Misserfolg neuer Arbeit zu schützen. In einer Zeit, in der Musikstreaming und Social Media angeblich die Kunstform des Albums kaputt gemacht haben, ist das Album vielleicht so relevant wie nie. Aber Alben sind *weiblicher* geworden.

Alben sind mehr als eine aufeinander abgestimmte Songliste und ein im besten Falle cooles Cover. Es sind die Outfits auf roten Teppichen, Make-up-Looks, es sind Paparazzi-Fotos zur perfekten Zeit im perfekten Club, es sind Tänze, die Frage, wen man für einen Gastauftritt auf die Bühne holt. Es sind Frisuren und Referenzen in Musikvideos, Ausschnitte aus Songtexten. Es sind multidimensionale Kunstcollagen geworden, die von Fans entdeckt und decodiert werden können. *Brat* war keine Reihe von Songs, es war eine ganze Jahreszeit mit Soundtrack, erschaffen von einer Musikerin, die in ihrer Kunst bereits die Vergänglichkeit angelegt hat, die ein Pop-Phänomen in Zeiten von Social Media zwangsweise haben muss.

Es ist eine Methode, die von den sozialen Medien eingefordert, von Popstars bedient und im Anschluss von Fans wieder kopiert wird. In einer speziellen *Ära* zu sein ist Anfang der 2020er zu Internet-Slang geworden. »Ich bin in meiner Sport-Ära«, sagen Leute, wenn sie anfangen, ihren Fitness-Fortschritt auf TikTok zu dokumentieren, es gibt Frauen, die ihre Versuche, ein *higher self* von sich zu erreichen, teilen und das *clean girl era* nennen. Es ist das Eingeständnis, dass die Schablonen, die sich das Internet für Frauen-Lifestyle ausdenkt, insgeheim eindimensional und vergänglich sind. Ären für den Endverbraucher sind die endgültige Pose, um das eigene Leben und die eigene Selbstverwirklichung zu ironisieren: ich bin nicht *wirklich* ein *clean girl.* Ich probiere dieses Leben für ein paar Monate an. Das pausenlose Modifizieren und Angleichen an den Zeitgeist ist im Namen miteingepreist. Eine Ära ist etwas, was sicher endet. Die Veränderung in der Zukunft wird bereits in dem Moment versprochen, in dem ein neuer Status quo erreicht wurde.

2023 war eines der Top-Suchwörter im Online-Wörterbuch dictionary.com *Era.* Etliche Jahre der sozialen Medien hatten diesen Moment vorbereitet, und die Hochzeit der Ären kam, als das begann, was später als die erfolgreichste Welttournee des Pop in die Geschichte eingehen sollte: Taylor Swifts Eras-Tour.

DIE BESTE FRAU DER WELT MACHT MÄNNER WÜTEND

Es gibt eine kurze Antwort auf die Frage, *wieso* man Taylor Swift hört. Ich habe sie mir zurechtgelegt, als ich merkte, dass ich sie überraschend häufig auf Partys von Männern gestellt bekam. Die Frage hat nie keinen Subtext, in ihr steckt eine Herausforderung, ein Popkultur-Kampfwille, die unterschwellige Behauptung, man hätte zu wenig Musikgeschmack, um zu verstehen, dass Taylor Swift im Grunde belangloser Pop-Rotz ist. Meist wird die Frage mit der Behauptung verbunden, alle Lieder würden *gleich klingen.* Das Ganze ist auch noch generös gemeint: Wenn du dir die Arbeit machst, mir zu erklären, was ich noch nicht verstehe, wäre ich bereit, dir zuzuhören. Es ist eine dieser Popkultur-Fragen, die keine Antwort möchte, weil die Existenz der Frage schon klarmacht, dass da eine eher irreparable Haltung eingewoben ist. (»Für so was gibt man Geld aus?«, »Wieso hängt das im Museum?«, »Dafür muss man studieren?«)

Wenn ich gefragt werde, wieso *man Fan von Taylor Swift* ist, sage ich in der Regel: weil sie die beste Songwriterin seit Bob Dylan ist und den Literaturnobelpreis mehr verdient hätte als er. Ich sage das ein bisschen, weil ich es für wahr halte, vor allem aber, weil man die Männer, die diese Frage stellen, damit wahnsinnig ärgern kann.

Die echte Antwort darauf, wieso man Fan von Taylor Swift ist, ist länger und lautet in etwa so:

2020 erschien auf Netflix eine Taylor-Swift-Doku namens *Miss Americana.* Der Film beginnt damit, dass Taylor Swift auf einem Sofa sitzt und mit ihrer Publizistin Tree Paine telefoniert. Es ist das Jahr, in dem sie ihr Album *Reputation* herausgebracht hatte, die Grammy-Nominierungen sind vor wenigen Momenten veröffentlicht worden, und Paine hat die Liste mit den wichtigsten Preiskategorien vorliegen. Die Frau am anderen Ende des Telefons wirkt fahrig oder peinlich berührt, während Taylor Swift in vorauseilender Desillusion in die Ferne im Raum blickt, die sich irgendwie hinter der Kamera befindet. Paine wartet die halbe Sekunde, die Menschen warten, ehe sie schlechte Nachrichten überbringen müssen, und erklärt dann, dass sie noch nicht die vollständige Liste mit allen relevanten Kategorien habe, bisher sei für Swift aber keine Nominierung dabei. Taylor Swift starrt weiter in irgendeine Ferne, scheint kurz nachzudenken und sagt dann schließlich: »This is fine, this is good, actually ...«, ehe sie weiterstarrt und nichts sagt. Ihre Körperhaltung verändert sich kaum im Laufe des Gesprächs, ihre Schultern waren bereits nach vorne gesackt, ihr Rücken war schon krumm, als sie das Telefonat angenommen hatte, oder auch: sie war bereits enttäuscht, ehe sie das Telefonat angenommen hatte. »I just need to make a better record«, sagt sie dann schließlich. Es entsteht eine kurze Pause, in der beide nichts sagen, bis ihre Publizistin sich aufrappelt. Sanft und entschlossen, mit einer Routine, die nahelegt, dass so was Ähnliches zwischen ihr und Taylor Swift schon öfter passiert ist, sagt sie: »*Reputation* is a great record.«

Die einen sagen, in der Doku passiere viel, die anderen behaupten, es geschehe quasi nichts – diese Einschätzung steht in direktem Zusammenhang damit, ob man sich für Taylor Swift interessiert. Es gibt keinen roten Faden, der in einem dramaturgischen Abschlusskonzert, dem Beginn einer Welttournee, dem Veröffentlichen eines neuen Albums endet. Die Doku ist *alles.* Swift im Studio. Swift über ihre größten Krisen. Swift über ihre Beziehung. Am Ende der Doku ist schließlich ein neues Album entstanden, *Lover* erhält drei Grammy-Nominierungen, was eine rührende und kitschige Klammer für den Film gewesen wäre und wahrscheinlich genau deswegen nicht mehr vorkommt. Stattdessen wird ein Interview gezeigt, das scheinbar eher zufällig entstanden ist. Swift sitzt an einem Fenster und redet scheinbar vor sich hin, über den Prozess, wie *Lover* entstanden ist, und ein bisschen, auf einer Meta-Ebene auch, wieso ausgerechnet jetzt diese Doku kommt. Sie wolle die letzten Jahre nutzen, in denen sie als Frau noch jung genug sei, um *diese Art von Erfolg* zu haben, erklärt sie. Sie werde bald zwanzig Jahre alt, und die Gesellschaft werde sie wie jede andere Frau, die älter wird, nicht mehr lange tolerieren. Wieder blickt sie in irgendeine Ferne, das Ganze klingt deprimierend und wahr zugleich.

Als die Dokumentation erschien, hat das noch Sinn ergeben – Taylor Swifts Karriere hätte gut und gerne enden können, oder zumindest ausschleichen, auf diese von außen harmlose und von innen brutale Art, bei der nicht von jetzt auf gleich spürbar Erfolg ausbleibt, sondern stattdessen sukzessive alles immer etwas weniger *groß* wird. *1989* war bereits erschienen, Swifts erfolgreichstes Album, mit einigen ihrer größten Hits, zu Tode gespielt in jedem Einkaufszentrum, auf jeder Hochzeit, in jedem Karaokeladen dieser Welt, in den Top-100-Rankings der besten Alben aller Zeiten immer dabei, den Beginn und gleichzeitig das Ende markierend einer neuen Swift-Ära, weg vom Country, hin zum Pop. Erwartungsgemäß kamen nach *1989* die Skandale, die eine große Karriere mit sich bringen, die

Essstörung, eine Girlgang, bestehend aus Topmodels, die ständig dabei fotografiert wurden, wie sie eingehakt ineinander New Yorker Restaurants verlassen, zu viele Auftritte bei Events an der Seite von zu vielen berühmten Männern.

Heute erscheint der Interview-Ausschnitt fast pathologisch, oder mindestens naiv: wie konnte *die* Taylor Swift so von Selbstzweifeln zerfressen sein, dass sie jemals dachte, ihre Karriere würde mit Anfang/Mitte dreißig aufhören? Seit diesem Moment am Fenster, an dem Taylor Swift in die Ferne blickt und ihren Ausstieg plant, hat sie vier weitere Alben veröffentlicht und weitere drei Neuaufnahmen von bestehenden Platten rausgebracht. Sie erhielt dafür insgesamt 25 Grammy-Nominierungen, ihre Welttournee wurde die erfolgreichste Tour der Geschichte, vor Bruce Springsteen, Elton John, Michael Jackson.

Swift hat ein Floskel-Versprechen eingelöst: Sie verkörpert *tatsächlich* das Lebensgefühl einer ganzen Generation, auch wenn das eine Sache ist, die schon über unzählige junge Menschen in der Popkultur gesagt wurde. Dieses Lebensgefühl ist pausenlose Ängstlichkeit, eine ständige innere Habachthaltung, die sich auf Horrorszenarien vorbereiten will, die höchstwahrscheinlich nie eintreffen werden. Aus dieser Ängstlichkeit heraus erscheint es sinnvoll, sogar logisch, all die Dinge, die einen noch glücklich machen, neurotisch beieinanderzuhalten, genauso, wie es plausibel erscheint, bereits heute unglücklich zu sein wegen allem Unglück, was in der Zukunft vielleicht auf einen wartet. Taylor Swift hat mit *Lover* ein ganzes Album geschrieben über das Gefühl, frisch verliebt zu sein, es handelt davon, dass sie sich ausmalt, wie furchtbar ihr Leben werden würde, sollten die beiden sich jemals trennen. Taylor Swift nimmt sich heraus, neurotisch zu sein auf genau die nicht niedliche Art, die, die von Männern nicht begriffen wird, die, die nicht sexy ist. Kein verschmierter Kajal, keine oversized Bandshirts, kein abgeblätterter Nagellack, keine Gilmore-Girls-ohne-Kaffee-ohne-Milch-Neurose, keine Fotos auf Instagram von lieben Frauen mit mausbraunen Haaren und der Bildunterschrift *#35 mm.* Also genau nicht die Spielart von Weiblichkeit, die seit Erfindung von Social Media über jeder Generation junger Frauen zu hängen scheint.

Taylor Swift kultiviert die Sisyphus-Neurose junger Frauen, die nicht dazu taugt, erotisch auszusehen. Es ist ein pausenloses Weitermachen, obwohl es sich anfühlt, als würde in einem ständig die Welt zusammenbrechen. Es ist ein Heulanfall auf dem Bett, ehe man zehn Minuten später eine E-Mail an die Hausverwaltung schreibt, weil die Dichtung an der Dusche immer noch schimmelt. Es ist das Nichteinschlafenkönnen, weil man zum vierten Mal diese Woche darüber nachdenkt, ob man seinen Freund überhaupt jemals geliebt hat, nur, um am nächsten Morgen zu hoffen, dass er einem bald einen Antrag macht. Es ist die hibbelige Ängstlichkeit, die sich darin zeigt, dass man ständig zu viel macht, zu gut vorbereitet ist, zu viele Ausrufezeichen an das *Danke* am Ende einer nebensächlichen Mail schreibt, um bloß nicht unhöflich rüberzukommen. Es ist das Zu-frisiert-Sein, es ist zu viel Glitzer tragen, sich zu viel Mühe geben dabei, der Umwelt möglichst viele Versionen von sich anzubieten, um so vielen Menschen wie möglich zu gefallen. Es ist das Discokugelsein, das Taylor Swift in *mirrorball* beschreibt. *I've never been a natural, all I do is try, try, try.*

Taylor Swift macht Musik für Frauen, die daran gescheitert sind, ihre eigene Traurigkeit pausenlos zu romantisieren, die insgeheim voller Sehnsucht auf die traurigen Frauen in den Filmen schauen, die träge und schön in ihrem Leben rumsitzen, bis ein Mann vorbeikommt, der sie reparieren will, um sie im Anschluss selbst und ganz neu kaputt machen zu können. Taylor Swift macht Musik für Frauen wie mich, die ihr Leben lang Filme von Sofia Coppola geschaut haben und voller Bewunderung waren für diese Frauen, die so genüsslich ihr Leid ausweiden, die aber genau wissen: so werde ich nie sein. Nie bin ich traurig genug, schweigsam genug, dünn genug. Nie kann ich lang genug träge aufs Wasser blicken. Meine Traurigkeit wird nie ästhetisch ansprechend sein. Meine Traurigkeit bleibt vermutlich für den Rest meines Lebens einfach traurig.

Swift hat einen Hang zu Rätseln, Symbolismus und Insidern mit ihren Fans. Man weiß nie wirklich, ob sie ihr neues Album nicht schon vor Jahren in einer Geheimbotschaft auf Instagram angekündigt hat. Es ist unmöglich, zu wissen, was wirklich über Jahre hinweg geplant wurde und was einfach der reine Zufall war, der im Nachhinein von überambitionierten Fans mit Bedeutung aufgeladen wurde. Fans achten auf die Zeiten, die Uhren in Musikvideos anzeigen, auf die Menge an Fingern, die sie bei einer Performance hochhält, auf die Menge an Ausrufezeichen, die sie in einem Text benutzt, in dem sie sich beim Publikum ihres letzten Konzerts bedankt. Alles, was Taylor Swift tut, wird behandelt wie der nächste wichtige Hinweis für ein Rätsel, von dem man nicht einmal weiß, ob es wirklich existiert. (Ihr letztes Album kündigte Taylor Swift unter anderem an, indem sie sich von Paparazzi in Kleidungsstücken fotografieren ließ, deren Produktbeschreibungen auf den Homepages der Designer kleine Hinweise auf Songs oder mögliche Erscheinungsdaten gaben.) Selbst wenn nur ein Bruchteil der Rätsel, die ihre Fans lösen, von ihr beabsichtigt ist und der Rest nur manische Symptome einer parasozialen Beziehung, ist die Mühe, die Taylor

Swift sich macht, um mit ihren Hardcore-Fans zu interagieren, immer noch rührend.

Als 2019 ihr Album *Lover* erschien, erfand Swift etwas, was später von Fans nur das *Lover*-Haus genannt wurde. Ursprünglich war es die Kulisse für eines ihrer Musikvideos, in dem ein Liebespaar wohnte. Jeder Raum repräsentierte eines ihrer bisherigen Alben, inklusive passender Inneneinrichtung und – natürlich – vieldeutigen Symboliken, die auf einzelne Songzeilen der jeweiligen Alben hindeuteten. Einige Fans befürchteten, dass Swift mit dem *Lover*-Haus das Ende ihrer Karriere erklärte, immerhin gab es für weitere Alben keinen Platz, weil keine leeren Räume mehr übrig waren. Später wurden für zwei (vielleicht ungeplante?) Alben, die sie während der Corona-Pandemie veröffentlichte, die Flure zwischen den Treppen freigeräumt, aber spätestens das Album danach müsste in der Logik des *Lover*-Hauses ihr letztes sein. Swift hatte zum Glück einen Plan: ihr nächstes Album hieß *Midnights* und tauchte das Haus schließlich in einen sternenbehangenen Nachthimmel. Das Haus war endgültig voll.

Swift hat in einem Interview dem Talkmaster Jimmy Fallon erzählt, dass sie die Obsession und Genauigkeit, mit denen ihre Fans ihre kleinen Rätsel gelöst haben, angespornt hätten, immer kleinteiliger und komplexer in ihren Aufgaben zu werden. Es sei schlicht ein kleiner Spaß, ein Insider zwischen ihr und ihren Fans. Es führt aber auch nebenbei zu einer Art Gamification ihrer Musik: auf der Suche nach Hinweisen analysieren ihre Fans ihre Songtexte, ihr Artwork, interpretieren den Symbolismus ihrer Alben, den Ausdruck auf ihren Pressefotos. Vielleicht habe ich etwas übertrieben, und Bob Dylan hat den Literaturnobelpreis doch etwas mehr verdient als Taylor Swift. Was aber unbestritten ist: Niemand hat Songtexte geschrieben, die häufiger, genauer und umfassender analysiert wurden als die von Taylor Swift. Sie hat aus Textanalysen eine Art Exit Game gemacht und Millionen von Menschen auf der ganzen Welt dazu gebracht, sich auf teilweise akademischem Niveau mit Poetik auseinanderzusetzen. Hochgradig seltsam. Irre uncool. Die beste Sache aller Zeiten.

Die Tatsache, dass sie ihre Fans zu aufmerksamen Zuhörerinnen mit Medienkompetenz erzogen hat, gibt Swift die Möglichkeit, ihre Songs über ihre jeweils vier Minuten hinaus existieren zu lassen. In einer Zeit, in der Alben angeblich immer irrelevanter werden, hat Swift eine Welttournee konzipiert, deren ganze Idee es war, in die unterschiedlichen Ästhetiken und Sounds ihrer verschiedenen Alben einzutauchen.

2023 startete die Eras-Tour, in der das Haus als eine Art Programmheft herhielt. Der Abend, der durch alle

Eras ihrer Alben führte, klapperte jeden einzelnen Raum des Hauses ab. Swift erhöhte den symbolischen Druck, der auf jedem möglichen nächsten Album hing, so weit wie möglich. Die Eras-Tour könnte auch mühelos eine Abschiedstournee gewesen sein. Das Haus ist voll. Einfach einen Raum anzubauen, ein ganz neues Haus zu bauen, das Haus als lustige Idee begraben und nie wieder erwähnen, das wäre vielleicht in anderen Popkarrieren möglich gewesen. Swift aber hatte Frauen auf der ganzen Welt das Versprechen gegeben, diese Rätsel so ernst zu meinen, wie es ihre Fans selbst taten. Bei ihr gibt es kein Augenzwinkern, keine Ironie, kein »so wichtig war es am Ende nicht«.

2024 kündigte Taylor Swift ein neues Album an während der Grammy-Verleihung, auf der sie für *Midnights* genau den Preis abholte, für den sie vor einigen Jahren nicht einmal nominiert gewesen war. *The Tortured Poets Department* sollte den *Lover*-Haus-Bann brechen, denn offenbar *ging* es weiter mit ihrer Karriere. Wenige Tage vor Veröffentlichung des Albums postete Swift auf ihren Social-Media-Kanälen ein Video: Wir sehen einen der Räume aus dem *Lover*-Haus, öffnen schließlich eine neue Tür, die uns in einen langen, grell beleuchteten Flur und offenbar aus dem Haus führt. Der Flur sieht aus wie der in einem Krankenhaus oder einer Klinik – weißes, ungemütliches Licht, schmucklose

Türen, vor einer halten wir schließlich. Endlich landen wir vor einem Zimmer, an dessen Tür die Abteilung für gequälte Poeten angeschrieben steht, *The Tortured Poets Department.* Wir haben das Haus verlassen. Wir befinden uns in einer psychiatrischen Anstalt.

Tatsächlich wird *The Tortured Poets Department* das Album, auf dem Taylor Swift sich so intensiv wie nie zuvor mit der bedrohlich wachsenden Öffentlichkeit beschäftigt, mit Anspruchsdenken von Fans und Kritikern im gleichen Maße. Das Album hat das *Lover*-Haus nicht erweitert, sondern entlarvt als das, was es immer war: die Wahnvorstellung einer Frau, die dachte, sie könnte es trotz allem schaffen, sich ein Zuhause unter den Augen der Öffentlichkeit zu bauen.

The Tortured Poets Department ist eine fast neurotisch genaue Analyse von Swifts immer komplizierter werdenden Verhältnisses zu ihrer öffentlichen Person, zu dem Druck, den Frauen in der Öffentlichkeit und im Internet ausgesetzt sind, zu der Unmöglichkeit, irgendeinen Teil des eigenen Privatlebens privat zu halten. Es ist dazu die endgültige Auflösung der Behauptung, irgendwas an Taylor Swift könnte cool sein. Es ist das Album einer neurotischen, uncoolen und irre erfolgreichen Singer-Songwriterin, die offenbar angefangen hat, sich damit abzufinden, dass sie genau diese Dinge alle ist. *The Tortured Poets Department* ist nicht lässig, es ist voller Rechtfertigungen und Übererklärungen, teilweise in einer teenagerhaften Trotz-Pose, die sich mit tieftraurigen Angstattacken abwechselt. Taylor Swift hat auf der Höhe ihrer Karriere ein Album veröffentlicht, das mit Ansage zu sperrig sein würde für große Radio-Hits oder Hymnen von Musikkritikern. Nachdem sie Jahre damit verbracht hat, *ein besseres* Album zu machen, um genug Grammy-Nominierungen zu erhalten, hat sie am wichtigsten Punkt ihrer Karriere ein Album veröffentlicht, das in erster Linie von ihren Fans verstanden werden kann. Sie erhielt für das Album Grammy-Nominierungen in den wichtigsten Kategorien, ging allerdings am ganzen Abend leer aus. Auf den Videos von der Verleihung sieht man die Frau, die vor Jahren noch auf der Couch saß und entschied, bessere Alben machen zu müssen, und die nun ausgelassen mit einem Drink in der Hand zu den Auftritten anderer Künstlerinnen tanzte, als würde sie gar nicht bemerken, dass sie nicht einen einzigen Preis mit nach Hause nehmen würde. Taylor Swift hatte uncoolen Frauen auf der ganzen Welt gezeigt, dass etwas auf einen warten kann, am anderen Ende des Flurs.

Auf Partys gefragt zu werden, *wieso* man Taylor Swift mag, ist Teil des *lores,* des Lebensgefühls, der Sinn der Sache. Das Nervige an ihr ist, dass sie überhaupt nicht versucht, *nicht* zu nerven. Es gibt da keine weitere Ebene, kein Geheimnis, kein Rätsel, das Fans noch nicht entschlüsselt haben. Taylor Swift ist einfach uncool. Und sie macht Musik für uncoole Frauen, die keinen Wert darauf legen, so zu tun, als würde sie die Welt nicht beeindrucken. Sie ist die Frau, die gesungen hat *I've never been a natural, all I do is try, try, try.* Sie schrieb bessere Alben, um mehr Grammys zu bekommen, und hörte damit auf, als sie merkte, dass sie fähig dazu ist. Taylor Swift macht vor aller Öffentlichkeit, was Frauen so oft vor allem heimlich machen. Sie gibt sich Mühe. Sie macht sich Arbeit. Sie mutet uns zu, uns damit abzufinden, dass es nicht einfach ist. *All I do is try, try, try.*

YOU DON'T UNDERSTAND, I'M OBSESSED

Soziale Netzwerke *lieben* überproportional starke Gefühle. Videos, in denen Hass oder Ekel hochkommen, erzeugen mehr Reaktionen als die, in denen es um schöne Dinge geht. *Ragebait* ist ein eigenes Genre von Inhalten, die absichtlich Falsches, Empörendes oder Schockierendes verbreiten, damit möglichst viele Menschen reagieren. *Flop Eras* nennt man Phasen von Influencerinnen, in denen ihre Klick- und Kommentarzahlen sinken. Und am einfachsten arbeitet man sich aus solch einer *Flop Era* heraus, indem man in einem Interview etwas Unverschämtes sagt, in einem absichtlich schlechten Outfit fotografiert wird oder Streit mit einem Follower anfängt. Das alles ist ein Spiel. Schlechte Gefühle sind dann nicht automatisch etwas Schlechtes, sie können auch einfach eine PR-Strategie sein. Übertreibung in jede Richtung wurde so lange geduldet, dass es mittlerweile der Normalzustand zu sein scheint. Make-up-Influencerinnen reißen vor Begeisterung weit den Mund auf, wenn sich ein Concealer besonders gut auf ihrer Haut auftragen lässt, *Run, don't walk,* sagen sie dann. Food-Blogger rollen lasziv mit den Augen, wenn sie in den Cookie eines *gehypten* Ladens beißen, um den *taste test* zu machen.

I'm obsessed ist der Slogan von Influencing geworden, es ist eines dieser Wörter, für das es zwar eine deutsche Übersetzung gibt, diese aber zu sperrig klingt, um die Nebensächlichkeit einzufangen, mit der im Internet gesprochen wird. Ich bin nicht *besessen* von der neuen Sabrina-Carpenter-Werbung für Dunkin' Donuts, ich bin *obsessed. Ich bin komplett obsessed mit diesen viralen Kristallsüßigkeiten. Leute, ihr müsst diesen Gurkensalat machen, ich bin obsessed mit diesem Dressing.* Besessenheit klingt zu brutal, zu pathologisch, nicht spielerisch genug für das, was mit dem Wort *obsessed* gemeint ist.

Die vermeintliche Ironie hinter *obsessed* hält nur einen kurzen Moment, danach meint das Wort auf einmal genau das, was es eigentlich bedeutet, denn eine *ironisch besessene* Person verhält sich genau wie eine, die aufrichtig besessen ist, so, wie Fernsehquoten auch nicht unterscheiden, ob man ironisch Reality-TV schaut oder *kritisch* die YouTube-Videos von Männerrechtlern anklickt. *Obsessed* ist eine Besessenheit von einem Produkt oder einem Menschen, die einen so einnimmt, dass man an nichts anderes mehr denken kann. *Obsessed* befreit uns von der Frage, ob wir vielleicht zu viel Zeit in sozialen Netzwerken verbringen oder zu häufig Mikro-Trends aus TikTok-Shops nachgekauft haben. Wir müssen uns diese Frage nicht gefallen lassen, wenn wir obsessed sind. Ein unstillbares Verlangen hat von uns Besitz ergriffen. Uns trifft keine Schuld, wenn wir Konzertkarten kaufen, uns in Schlangen stellen, zum vierten Mal diese Woche die gleiche Tiefkühlpizza essen. Ich bin *obsessed* mit Beyoncé in ihrer Levi's-Kampagne, mit dem Pony von Sabrina Carpenter, mit dem Model Gabriette. Ich *brauche* eine neue Jeans. Und einen Termin beim Friseur. Und den Lipliner, den all diese Frauen benutzen. Wer *obsessed* ist, darf mehr. Mehr kaufen, mehr posten, mehr Zeit verbringen. Wer *obsessed* mit einem Promi ist, hat mehr Anrecht auf Meinung zu seiner neuen Freundin oder dem Song, den er gesungen hat, als er heimlich beim Karaoke gefilmt wurde.

Obsessed ist das Produkt einer pausenlosen Pose, in der alles, was gesagt wird, gleichzeitig ironisch gebrochen und ins Gegenteil umgedeutet wird. Man ist nicht *wirklich obsessed.* Es ist eine Übertreibung, die behauptet, sich selbst darüber im Klaren zu sein, dass Obsession vielleicht eine etwas zu bedeutsame Kategorie ist, wenn man über das virale Pasta-Rezept von Gigi Hadid spricht. Und es ist gleichzeitig genau das, was es behauptet zu sein. Absolute Aufrichtigkeit und nichts davon ist ernst gemeint. Diese Ironie wird immer weiterbehauptet, während die eigentliche Pose längst in Taten umgewandelt wurde. Wer *ironisch obsessed* ist mit einem Stanley-Cup, *ironisch* sofort ins Auto steigt, um Dutzende Kilometer zu dem Laden zu fahren, der sie im Angebot hat, um dann *ironisch* einen zu kaufen, hat die Ironie auf dem Weg zum Supermarkt verloren. Aber es fühlt sich gut an, einen Teil der Verantwortung loszuwerden.

Das ist dieselbe Ironie, mit der Frauen vor einigen Jahren anfingen, frauenfeindliche Klischees zu Social-Media-Trends zu machen, um ihnen die Macht zu nehmen. Ehe Frauen sich zum unzähligsten Male von Comedians und Vätern den Vorwurf gefallen ließen, nicht einparken zu können, begannen junge Frauen, Videos von sich zu posten, in denen sie mit umständlich vielen Zügen in eine riesige Parklücke setzten, unterlegt mit dem Song *I'm just a girl* von No Doubt. Sie erfanden *girl math,* bei dem sie mit einer Aneinanderreihung von halb logischen Rechenaufgaben zu rechtfertigen versuchten, *noch* ein Paar Schuhe kaufen zu können. Attraktive junge Frauen nahmen dem häufig formulierten Vorwurf, sie würden Männer nur wegen ihres Geldes haben wollen, die Sprengkraft: Natürlich wollen wir Männer nur wegen ihres Geldes, wofür denn sonst? Die Frage, bis wohin das ironisch gemeint werden kann und ab wann all das nur ein Verstärken bereits existierender Klischees ist, wird dadurch beantwortet, indem man die Frage als egal abtut.

It's not that serious.
I'm just a girl.

Die Übergänge sind fließend, und wo sie verlaufen, hat auch immer mit der Frage zu tun, wie viel man jungen Frauen zutraut. Wird aus *girl math* früher oder später ein unironisches Schlechtsein in Mathe? Werden Frauen, die Beziehungen zu Männern als Transferleistung betrachten, irgendwann unfähig, Liebe zu empfinden? Oder erlauben sich Frauen einfach, sich über die Vorurteile, unter denen sie ohnehin zu leiden haben, lustig zu machen?

It's exactly that deep.

2025 tauchte Timothée Chalamet das erste Mal mit seiner neuen Freundin auf einem roten Teppich auf. Er und Kylie Jenner waren schon seit Längerem ein Paar, aber es gab bisher nicht den *ersten offiziellen gemeinsamen Auftritt.* Diese Kombination war für die Presse aufregend: Jenner auf der einen Seite, hineingeboren in den operierten Kardashian-Clan, der dem Klischee nach vor allem berühmt dafür war, *berühmt zu sein* (wahr und gleichzeitig nicht wahr), eine perfekt geschminkte Frau mit großen Brüsten und schmaler Taille. Auf der anderen Seite der als nachdenklich und schrullig-intellektuell wahrgenommene Ausnahmeschauspieler, der seinem Image nach auf keinen Fall eine Kylie Jenner daten dürfte (wahr und, na ja, gleichzeitig nicht wahr).

Worüber hätte ein Timothée Chalamet mit einer Kylie Jenner *zu reden,* war die Frage von Chalamet-Fans, die zu Beginn der Romanze so häufig gestellt wurde, dass sie irgendwann zu einer Art Meme wurde. Fans des Schauspielers sahen den Ruf ihres Idols beschmutzt, ein tiefsinniger, talentierter Mann kann keine operiert-wunderschöne Frau attraktiv finden.

KANN eine Frau, die operiert-wunderschön ist, interessant genug sein für einen talentierten Mann?

WIE schön müsste eine Frau sein, um auszugleichen, dass sie uninteressant ist?

GIBT es das überhaupt: uninteressante Frauen?

WIESO fragen wir uns nie, ob wunderschöne Schauspieler insgeheim uninteressant sind?

WAS wäre so schockierend daran, wenn zwei Multimillionäre eine oberflächliche Beziehung führen?

WOHER kommt der Gedanke, Frauen müssten überhaupt irgendeine fehlende Eigenschaft ausgleichen, wenn sie keine Dienstleisterinnen sind?

IST das Problem mit Kylie Jenner, dass sie zu viel oder zu gut »gemacht« ist?

Die Frage danach, was Kylie Jenner tatsächlich ist, ist dabei irrelevant. Wie etliche andere Frauen mit großer Social-Media-Öffentlichkeit war sie dem Schicksal ausgeliefert, immer vor allem genau das zu sein, was ihre Zuschauer gerade am liebsten in ihr sehen wollen. (Tatsächlich lässt sich Kylie Jenner sehr leicht als selbstironische und mindestens ansatzweise feinsinnige Person entlarven, wenn man sich bemüht, beispielsweise wenige Minuten ihrer Fernsehshow anzuschauen.)

Jenner wurde für Chalamet-Fans zu einer Art Schandfleck, eine fleischgewordene Erinnerung daran, dass der in ihren Augen talentierteste und tiefsinnigste Schauspieler seiner Generation am Ende das heiß findet, was Männer mit viel weniger Talent und Tiefsinn genauso heiß finden. Frauen mit langen Haaren, großen Brüsten und einem flachen Bauch. Die Beziehung wurde als PR-Strategie abgetan, oder als kurzlebige Sommeraffäre, auf die man in wenigen Monaten mit Scham zurückblicken könnte. Wie eine Art Selbstschutz trugen die Fans dieses Narrativ vor sich her. Sie wurden als *ungleiches Paar* abgestempelt, obwohl die Kombination von Charakterdarsteller und Hollywood-Schönheit keine war, die zu dem Zeitpunkt *noch nie* ausprobiert wurde. Wäre Jenner ein Model gewesen, eine mäßig erfolgreiche, aber irre schöne Schauspielerin oder wenigstens *Moderatorin,* dann hätte die Öffentlichkeit diese Kombination vielleicht ertragen können. Aber Kylie Jenner hat den einen Beruf, den man im 21. Jahrhundert nicht verzeihen zu können scheint: *Influencerin.* Sie gehört eben zu der Riege an Frauen, die *obsessed* sind mit einem neuen Lippenstift oder einem Körperöl, einem Tequila oder eben mit allem, was genug Geld für genau diese Besessenheit bezahlt. Sie und ihre Kardashian-Schwestern stehen wahrscheinlich so sehr wie niemand sonst für alles, was man an Social Media verachten kann: vermeintlich leidenschafts- und talentlose Frauen, die durch ein bisschen Glück und viel Skrupellosigkeit Millionen damit verdienen, jeden Tag von einer neuen Sache besessen zu sein. Kylie Jenner ist eine Obsessionssöldnerin. Timothée Chalament ein Schauspieler, der alles dafür tut, als *one of the greats* in die Geschichte einzugehen.

Das Paradoxe ist: Genau die Obsession, die Kylie Jenner als Pose vorgeworfen wurde, legten die Chalamel-Fans an den Tag, als sie versuchten, tief in die Beziehung der beiden Stars einzutauchen. Wie kann dieser Mann, den wir nicht kennen, eine Frau daten, die wir nicht kennen, aber glauben, nicht zu mögen?

Der Tag nach dem Red-Carpet-Outing von Jenner und Chalamet war einer, an dem die Obsession und Ironie, die sich im Internet ergänzen, zueinanderfanden. *Is*

Club Chalamet gonna be ok, schrieb die Schauspielerin Rachel Zegler unter eines der Fotos, das von dem neuen Paar kursierte. *Club Chalamet* ist *der* Timothée-Chalamet-Fan-Account auf Twitter, betrieben von einer älteren Dame, die sich durch ihre Wortwahl und Gründlichkeit, mit der sie den Account betreibt, von den meisten anderen Fan-Accounts abhebt. Andere Chalamet-Fans interagierten am Anfang *ironisch* mit *Club Chalamet,* mittlerweile wird die Betreiberin als Pressevertreterin zu Hollywood-Partys und Preisverleihungen eingeladen. Die parasoziale Beziehung, die *Club Chalamet* zu dem Schauspieler öffentlich pflegt, legt offen, wie weit Obsession und Fandom gehen können. Die Betreiberin kommentiert Outfits und Filme, fühlt sich von Fotos angesprochen, in denen Timothée schmachtend in die Kamera blickt, bezeichnet Frankreich als das, was es für sie ist: in erster Linie das Land, aus dem Timothée Chalamet kommt. Mit (irgendwie) niedlicher Pampigkeit gratulierte sie Adrien Brody, nachdem er (und nicht Chalamet) 2025 den Oscar als bester Hauptdarsteller erhielt (»The Academy made their decision. Congratulations Adrien«), oder warnt andere Ultra-Fans mit rührender Gründlichkeit vor Fake-News am ersten April: »Tomorrow Is April Fools Day, and this is my annual reminder to be alert to any ridiculous ›breaking news‹ articles and social media reports about Timothée Chalamet for the next 48 hours.«

Is Club Chalamet gonna be ok? bezieht sich auf die offen ausgelebte Antipathie, die der Account für Kylie Jenner zu haben scheint. Der natürlich *ironisch* gemeinte Kommentar von Zegler stachelte Online-Medien an, wiederum *ironische* Artikel zu veröffentlichen, in denen sie vorgaben, sich um den emotionalen Verbleib von *Club Chalamet* zu sorgen. Die Betreiberin hatte aus ihrer Ablehnung von Kylie Jenner keinen Hehl gemacht, das Debüt des Paares auf dem roten Teppich hatte sie aber gezwungen, das zu tun, was Menschen, die *obsessed* sind, ungern tun. Sie musste einsehen, dass ihre Besessenheit keine Rechtfertigung dafür ist, ständig Grenzen zu überschreiten.

Club Chalamet sei *fine,* antwortete der Account schmallippig auf die Frage, Timothée habe immer ihren Support, sagte sie. Dazu postete sie ein Foto des Schauspielers von *dem* Abend, an dem er und Kylie Jenner ihr Red-Carpet-Debüt gaben. *Club Chalamet* wählte aber eines, auf dem der Schauspieler alleine zu sehen war. Der Fandom akzeptiert die Frau an seiner Seite nicht.

Ironie ist das nötige Gegenstück von Obsession geworden, ein Freibrief für den Freibrief. *Obsession* ist zu etwas geworden, was gesagt und nicht wirklich gemeint wird. Aus dem popkulturell aufgeladenen *obsessed* sein wird an irgendeinem Punkt eben doch echte Besessenheit, die erklärt, wieso Fans vor dem Privathaus von Taylor Swift campen, heimlich Harry Styles in Berlin beim Kaffeeholen filmen, Menschen im Internet attackieren, wenn sie eine bestimmte K-Pop-Band nicht unterstützen. Diese Besessenheit dient dann als Vorwand für Überkonsum und Distanzlosigkeit. *Obsession* begann als Trick, als Ausrede von *Content Creatorn,* ihre Inhalte wichtiger aussehen zu lassen, als sie tatsächlich sind, und endete als perfekter Vorwand für die Zuschauerinnen genau dieser Creatoren, sich nicht ständig mit lästigen moralischen Fragen beschäftigen zu müssen. Es reicht nämlich nicht, *Lust* zu haben darauf, einen neuen viralen Dior-Lippenstift zu besitzen, oder sich zu fragen, ob man den wirklich braucht. Nein, man muss *obsessed* sein, damit man sich nicht mit der Einsicht konfrontiert sehen muss, dass man ihn wie alle anderen auch schlicht vor 48 Stunden auf TikTok gesehen hat und deswegen kaufen will. Wer *obsessed* ist, ist vermeintlich ein kleines bisschen weniger Konsumopfer, weniger anfällig für platte PR. Und eigentlich ist es einfach die endgültige Opferhaltung: Die anderen kaufen einfach so, ich kaufe, weil ich *besessen* bin. Alles andere wäre moralisch fragwürdig. Gleichzeitig weiß man natürlich, dass das ständige Nachkaufen und Habenmüssen, das Kommentieren von dem Beziehungsstatus zweier einem völlig fremden Hollywood-Stars unter dem Beitrag eines Klatschmagazins auf Instagram, dass genau *das* das Problem ist. Die Obsession dient höchstens als Rechtfertigung vor sich selbst, weil klar ist, wie irrelevant sie als Argument wirklich wäre, wenn man auf die eigenen Handlungen angesprochen wird: *Ich wusste, dass ich nicht wirklich obsessed bin, aber ich dachte, es macht es besser, wenn ich so tue, als sei ich obsessed, weil es dann wenigstens ironisch wirkt, was ich getan habe.*

Und vielleicht ist es auch einfach erträglicher, manches eher Obsession zu nennen als das, was es auch sein könnte: eine Konsumreaktion auf ein perfekt kalibriertes System in sozialen Netzwerken, das uns Dopamin gibt im Tausch gegen Aufmerksamkeit und Geld. Ich denke nicht ständig an den Pony von Sabrina Carpenter, weil ein paar Multimilliarden-Unternehmen entschieden haben, dass das so ist. Ich denke an ihren Pony, weil das, was Sabrina Carpenter tut, zu mir *spricht.* Mehr als zu allen anderen. Die anderen sind vielleicht *Fans.* Ich bin mehr als das. Und im Gegenzug habe ich auch mehr von meinem Idol verdient, mehr Gegenleistung, mehr Zugang zu Konzerten, mehr Anrecht auf Grenzüberschreitung. Ich bin nicht einfach ein Fan, ich bin *obsessed.*

MAKING KOMPLEXE FROM SCRATCH

Morgens nach dem Aufwachen clippe ich mir meinen Pony aus dem Gesicht und creme meine Haut ein, mit einer Mischung aus drei verschiedenen Seren. Während ich darauf warte, dass die Seren eingezogen sind, putze ich mir die Zähne. Dann trage ich Sonnenschutz auf meine Haut auf, ich mache das, seit ich 16 Jahre alt bin. Früher tat ich es, um keine Pickel zu bekommen, heute, damit ich keine Falten bekomme. Angst vor Hautkrebs hatte ich ehrlich gestanden nie, da war immer allerhöchstens eine kleine Sorge im Hinterkopf, das Wissen darum, dass es so was gibt. Ich habe keiner der Skincare-Influencerinnen jemals geglaubt, wenn sie in einem ihrer vielen Videos von *Hautkrebsvorsorge* sprachen. Wir wollen keine Falten. Nein, *ich* will keine Falten, und ich unterstelle anderen Frauen, dass es bei ihnen genauso sein muss. Dann schminke ich mich mit denselben Produkten, die ich seit Jahren benutze und nur selten austausche. Jeden Tag meines Lebens bringe ich diese Handgriffe hinter mich, ich denke nicht mehr darüber nach, während ich sie ausführe, und ich lasse mich auch nicht von dem Gedanken frustrieren, dass ich all das bis zum Ende meines Lebens tun werde, immer und immer wieder.

Nachdem ich im Bad war, mache ich mir einen Kaffee und wische die Arbeitsfläche ab, ich schaue im Kühlschrank nach, ob noch Milch da ist oder ob ich welche kaufen muss. Das ist der erste Spannungsmoment meines Tages. Wenn keine Milch mehr da ist, gehe ich später am Tag Milch kaufen, zusammen mit den anderen Dingen, die mittlerweile fehlen, die ich mir im Laufe der Woche in die Notizen-App meines Handys geschrieben habe, damit ich sie nicht vergesse, wenn ich im Supermarkt bin.

Auf dem Weg zum Supermarkt denke ich daran, dass ich mich abends abschminken werde und mir dann, wenn ich wieder in der Küche stehe, vermutlich schon die nächste Sache auffallen wird, die leer ist, vielleicht das Toastbrot oder die Butter. Dann werde ich das, was fehlt, in die Notizen-App meines Handys schreiben. Dann werde ich meine Haare flechten, wie jeden Abend, bevor ich ins Bett gehe, wahrscheinlich für den Rest meines Lebens. Mein Leben besteht aus Routinen, die in indiskutabler, aufeinander aufbauender Reihenfolge stattfinden. Eine Routine triggert die nächste, ich denke seit Jahren nicht mehr als nötig darüber nach. Diese tägliche Pflegedisziplin stählt mich nur noch weiter für die Routinen, die ich in meiner Wohnung hinter mich bringen muss. Als Kind war ich immer neidisch auf das Gefühl der Zufriedenheit, das sich bei meinem Vater und meinem Bruder wohl eingestellt haben muss, wenn sie eine der Männer-Aufgaben erledigt haben, weil das Verrichten ihrer Arbeit immer ein so offensichtliches Ergebnis nach sich zog: gemähter Rasen. Von Schnee freigeschaufelter Gehweg. Die Mülltüte weggebracht (wobei das Einlegen der neuen Mülltüte dann schon wieder die Aufgabe meiner Mutter war, zu klein der Effekt, zu gering der Ertrag, um es von einem Mann erledigen zu lassen). Stattdessen blieben die in meinen Augen lästigen Aufgaben übrig für mich, deren Effekt nicht auffiel, wenn man sie erledigte, sondern erst, wenn man sie zu lange nicht erledigte. Mich erinnert das bis heute an das Klischee der Frau, die erst vermisst wird, wenn sie ausgezogen ist.

Die Fähigkeiten, mühsame Aufgaben immer und immer wieder zu erledigen, ohne sie zu hinterfragen, hat sich in mein Muskelgedächtnis eingebrannt.

Vielleicht also fallen mir meine Routinen morgens vorm Spiegel einfach leichter, weil ich diese Art von stupider, unsichtbarer Arbeit seit Kindheitstagen eingebläut bekommen habe. Das immer und immer wiederkehrende Auftragen und Abwischen, Wegräumen und Herrichten, ohne das alles zu nah an sich herankommen zu lassen, ohne sich von der Wucht einer plötzlichen und potenziellen Einsicht erwischen zu lassen: das Ganze hört nie auf. Es wird immer Arbeit sein. Es wird immer Mühe machen. Und das ist okay so. Ich mache mir keine Illusion, ich hinterfrage es nicht, es muss halt gemacht werden, denke ich, wenn ich eine Mülltüte zusammenknote und mir Hyaluronsäure in die Haut einklopfe. Es muss halt gemacht werden.

Wenn ich mich dann erholen will davon, dass ich nicht weiß, wieso ich erschöpft bin, hole ich mein Handy aus meiner Tasche und schaue mir TikToks an. Ich schaue einer Frau dabei zu, wie sie in einem 3000-Dollar-Kleid von Jean Paul Gaultier in der Küche steht und Döner zubereitet. Seit Monaten habe sie Lust auf Döner, erklärt sie in dem Video, aber bei ihr in den USA gebe es einfach keinen. Die Position, mit der sie an der Arbeitsfläche der hell ausgeleuchteten, aufgeräumten und teuren Küche steht, ist genauso künstlich wie ihr Outfit: ihre Hüfte leicht eingedreht zur Kante der Theke, ihr Oberkörper etwas nach vorne gebeugt, sie hält ihre Arme mit elegantem Abstand zu ihrem Torso, als wäre sie eine Ballerina. Man sieht ihr dabei zu, wie sie in dieser Körperhaltung Fleischstücke mariniert und auf einen Spieß steckt, und ehe man den Glauben daran verlieren will, dass das vielleicht doch ein Witz sein könnte, dass diese Frau nicht *wirklich* Döner zu Hause zubereitet, backt sie ein Fladenbrot und rührt eine Knoblauchsoße an. Das Video endet damit, dass sie mit sanften Bewegungen alle Zutaten in dem aufgeschnittenen Fladenbrot platziert. Seltsamerweise vergisst man, sich die Frage zu stellen, ob das, was diese Frau da gerade gekocht hat, appetitlich aussieht, man weiß schon, dass man es nicht *nachkochen* will, das war kein Service-Video mit einem praktischen Rezept, das war irgendetwas anderes. Man weiß nur noch nicht, was genau, also tut man das, was ausnahmslos jedes Video im Internet von einem möchte und nur die wenigsten erreichen: man scrollt nicht weiter zum nächsten Inhalt, sondern man wirft einen Blick in die Kommentare. Was tut diese Frau da? Ist das Satire? Gibt es wirklich *nirgends* in den USA Döner? Wie viel kostet das Kleid, das sie da trägt?

Nara Smith hat es binnen weniger Monate verstanden und dann perfektioniert, ihre Zuschauerschaft so zu verwirren, dass sie regelmäßig damit viral geht. Man erkennt ihre Videos nach wenigen Millisekunden an der Küche und an der sanften, fast erschöpften Art, mit der ihre Stimme die verschiedenen Arbeitsschritte erklärt, die sie im Video ordentlich hinter sich bringt.

Smith begann ihre Karriere als klassische Kochinfluencerin. Wer sich alte Videos von ihr ansieht, sieht dieselbe Frau, die heute in Designer-Roben Dönerfleisch aufspießt, ohne das, was man *das gewisse Etwas* nennen könnte. Früher war sie eine normale Frau, die im Bademantel in der Küche stand und ihren Zuschauerinnen gründlich erklärte, wie man Zwiebeln einlegt. Es hat fast etwas Streberhaftes, zumindest, wenn man schon die neue Nara kennt, die heute mit ihren absurden Videos weltberühmt ist. Mein Blick auf Nara Smith ist sanfter, wenn ich zufällig eines ihrer alten Videos finde und sie damit vergleiche. Auf mich strahlt es einen unbestreitbaren Magnetismus aus, Frauen dabei zuzusehen, zu werden, was sie wohl immer sein sollten. Nara Smith wollte *das* sein: die lakonische Parodie auf eine Hausfrau, anders gesagt: eine wunderschöne, schwarze Frau, die die treue Hausfrau mimt. Viele ihrer Videos beginnen damit, dass ihr Ehemann von einer Dienstreise nach Hause kommt oder in letzter Zeit so *hart* gearbeitet hätte und sie ihn mit seinem Lieblingsdessert oder einem besonders aufwendigen Eintopf überraschen möchte. Sie bereitet alles *from scratch* zu, Cola, Zuckerstangen, selbst Sonnencreme. Sie traute sich, sich über das eigene Hausfrauen- und Verheiratetsein lustig zu machen, über Häuslichkeit und altmodische Werte, zu einer Zeit, in der genau diese Themen ohnehin politische Reizthemen waren. Sie löste ihre Parodien nicht auf, ertrug es, falsch verstanden zu werden, vielleicht aus Gleichgültigkeit, vielleicht, weil sie nicht ahnte, dass ihre eigentlich harmlosen Witze darüber, dass sie ihrem Mann Schokokuchen backt, wenn er von einer Reise nach Hause kommt, *so* sehr einen Nerv treffen würden, wie sie es taten. Oder sie ahnte, dass die Videos ohnehin genau der Kontextlosigkeit zum Opfer fallen würden, der man in den sozialen Medien nicht entkommen kann. Jedes ihrer Videos ist ein kleines, für sich stehendes Produkt. Es steht nicht im Kontext zu ihrer Person, es steht in einer Reihe von buchstäblich Millionen anderen Videos von anderen Menschen auf der Welt, die die Zuschauerin sich davor und danach ansehen kann. Wer das erste Mal ein Video von Nara Smith sieht, hat erst mal keinen Anlass zu glauben, dass sie mehr ist als das, was man in diesem Video sieht: eine Frau, die für ihren Mann kochen will. Diese Frau hat erst mal keinen Job (außer den, diese Videos zu posten), man weiß nicht, wer ihr Mann ist, wahrscheinlich geht man davon aus, dass er mit seinem Job die teure Küche finanziert hat, in der sie steht. Wieso sonst sollte sie ihre Dankbarkeit in Form von Desserts ausdrücken? Man geht auch davon aus, dass sie stolz darauf ist, mit ihrem Mann verheiratet zu sein, sonst wäre es nicht das zweite Wort, das sie gesagt hat, *my husband is coming home today* oder *my husband was craving steak.* Nara Smith ist, was sie uns in 90 Sekunden von sich zeigt, nicht mehr und nicht weniger.

Das ständig wiederholte Versprechen von sozialen

Netzwerken, dass man sich so zeigen kann, wie man wahrgenommen werden möchte, wirkt verlockend, bis man feststellen muss, dass man dann auch *ausschließlich* als das wahrgenommen wird, als was man sich zeigt. Kein Kontext.

Nara Smith ging mit am Anfang noch subtilen Parodien ihres eigenen Familienlebens viral, es *waren* Parodien – das erkennt man vor allem dann deutlich, wenn man sich die Entwicklung ihrer Videos ansieht. Die Rezepte wurden immer absurder, die Roben immer teurer, die Bewegungen mechanischer. Ihr Witz wurde immer weniger subtil, eine Reaktion darauf, dass ihr ein Internet-Schicksal zuteilwurde, von dem man sich nur schwer erholt: Sie ging viral für eine Sache, die sie gar nicht ernst zu meinen schien. Sie machte sich lustig über ihr Hausfrauensein, sie kochte zwar wirklich, aber das Setting war eines, was sie selbst ein wenig lächerlich fand. Ihr eigener Witz wurde ihr in dem Moment aus den Händen gerissen, in dem sie ironisch viral ging, von Leuten, die sich über sie lustig zu machen schienen. Plötzlich war sie nicht mehr die Frau, die sich lustig macht, sie war die Frau, über die man sich lustig macht. Ihr Interneterfolg führte dazu, dass man mehr über sie erfuhr – und je mehr man über sie erfuhr, desto klarer wurde, dass sie keine treudoofe Hausfrau am Herd war, auch wenn sie eine spielte. Seit Teenagerzeiten war sie bei IMG unter Vertrag, einer der wichtigsten Modelagenturen der Welt, auch ihr Mann ist Model (die beiden haben sich auf einer Fashion Show kennengelernt und waren begeistert davon, endlich jemanden zu treffen, der genauso groß ist wie sie selbst). Nara Smith begann ihre Kochvideos in der Zeit, in der sie wegen der Geburten ihrer beiden Kinder nicht arbeiten konnte. Sie war keine Hausfrau, sie war ein Model, das gerade nicht modelte. Und die Geschäftsreisen ihres Mannes, von denen er nach Hause an einen gedeckten Tisch kommt, sind Fotoshootings und Influencer-Trips.

Die Ironie von Nara Smith fiel durch die Ritzen von Social Media, und je berühmter sie wurde, desto umstrittener wurde sie auch. Viele hielten ihre Kochvideos für konservative Hausfrauen-Propaganda, heute könnte sie neben Donald Trump die meistparodierte Person im US-amerikanischen Internet sein. Leute legen sich Küchentücher auf den Kopf oder drehen sich Lockenwickler in die Haare und mimen die lobotomierte Hausfrau der 1950er, die voller Ehrfurcht vor ihrem Ehemann jede noch so aufwendige Speise *from scratch* zubereitet *(»Mein Mann möchte Brot, deswegen bin ich in den Garten gegangen und habe Weizen angepflanzt!«).*

Nara Smiths Reaktion darauf war, ihre Kunst immer weiter zu überdrehen, vielleicht in der Hoffnung, irgendwann noch verstanden zu werden. Nara Smith bereitet Döner zu in Jean Paul Gaultier, Nara Smith trägt ein 9000-Dollar-Kleid von Schiaparelli und röstet Gemüse im Ofen, Nara Smith bereitet kurz vor Weihnachten in einem roten Seidenbademantel rot-weiße Zuckerstangen selbst zu, weil es einfacher sei, als sie im Supermarkt zu kaufen. Ihre Satire wurde zu spät so offensichtlich.

Nara Smith wurde nicht als bloße Influencerin berühmt, sie wurde zu einem der prominentesten Gesichter der Tradwife-Bewegung. Diese *traditionellen Ehefrauen* sind eine Bewegung von (ultra-)konservativen Frauen, die in sozialen Netzwerken Werbung für die Kernfamilie mit Mutter, Vater und Kindern machen. Tradwives haben keine Jobs außerhalb des Hauses, sie kümmern sich um den Haushalt und die Kinder, während der Mann den Versorger mimt und das Geld für die Familie verdient. Sie zeigen ihren Alltag als zufriedene Ehefrau eines fleißigen Mannes, erklären, wie man den Haushalt so führt, dass er nach seinem harten Arbeitstag in ein aufgeräumtes, ruhiges und gut duftendes Haus zurückkehren kann, zu Kindern, die sauber und entspannt sind, und einer Ehefrau, die geschminkt ist und bereit, Blowjobs zu geben. (Viele Tradwives-Videos handeln explizit oder implizit davon, dass man dem Mann so viel Sex bieten muss, wie er will, weil ein Seitensprung sonst im Grunde unvermeidlich wird.)

Tausende von Frauen posten seit Ende der 2010er diese Art von Videos von sich, es sind mit wenigen Ausnahmen Frauen, die aussehen wie republikanische Spitzenpolitikerinnen: blonde, weiße, schlanke Frauen, die stark geschminkt und auffällig frisiert sind. Ihre Weiblichkeit ist eine Performance, es geht nicht wirklich um die Frage, ob sie attraktiv sind, ihr Aussehen ist ein Mittel, der Umwelt zu zeigen, dass sie das Spiel mitspielen, das es bedeutet, eine richtige Frau zu sein. Die Qualität ihres Make-ups oder ihrer Outfits sind nicht entscheidend, sondern ihre bloße Anwesenheit. Es sind Erkennungsmerkmale, kleine Beweise der Bereitschaft, sich zu unterwerfen, auffällig genug, damit jeder Mann auf den ersten Blick sieht, dass es sich hier um eine Frau handelt, die die bestehende Situation nicht nur nicht infrage stellt, sondern sie sogar weiter aufrechterhalten möchte.

Tradwives-Videos sind ultraerfolgreich in sozialen Netzwerken, zum einen tummeln sich in den Kommentaren unzählige junge, konservative Frauen, die sich darüber austauschen, dass sie es kaum erwarten können, endlich einen Mann zu finden, der ihnen genau diesen Lifestyle ermöglicht. Zum anderen ist es der perfekte *ragebait* für Frauen, die genau diesen Lebensentwurf für schädlich halten. Und dann ist da noch diese perfide Faszination, die man im Internet offener ausleben kann als im echten Leben, diese heimliche Begeisterung, die man manchmal empfindet, wenn man Menschen, die es in den eigenen Augen nicht anders verdient haben, dabei zusieht, wie sie ihr Leben an die Wand fahren. Diese jungen, blonden Frauen tragen ihre Idee vom Leben mit einer treudoofen Trotzigkeit vor, so, als wären sie davon überzeugt, dass die ganze Welt dagegen anstreiten will, als würden die ganzen linken Spinner da draußen es gar nicht mehr ertragen, wenn eine Frau einfach eine Frau sein möchte.

Die Offensichtlichkeit, gegen die Frauen bei Tradwives-Content anstreiten, ist, dass junge Frauen den Verlauf ihres restlichen Lebens in die Hände eines Mannes legen. Das, was für progressive Frauen der Horror zu sein scheint, ist für Tradwives genau das, was ihr Lebensmodell moralisch überlegen und von Gott gewollt macht: Mann und Frau müssen für immer zusammenbleiben, damit beide ein gutes Leben führen. Scheidungen werden zu einem Problem abgetan, das nur Linke und Liberale betrifft, deren Werte und Moralkompass nicht intakt seien und die ohnehin nicht loyal sein können. In Wahrheit ist die ständige Gefahr, vom Mann mit den Kindern sitzen gelassen zu werden, pausenlos in das eigene Lebensmodell von Tradwives eingepreist. Es geht pausenlos um die Frage, wie man den eigenen Mann glücklich halten kann, so glücklich nämlich, dass er sich nicht nach anderen Frauen umschaut oder sein Glück ganz woanders sucht. Die lange Liste von Aufgaben, die eine Tradwife zu erfüllen hat, existiert, um ein System zu erfinden, das die Frau davor schützt, irgendwann doch alleine dazustehen. Diese Sicherheit kommt nicht von dem Ehemann, sondern von der Ehefrau selbst. Die Qualität der Ehe ist in den Augen der Tradwives direkt und alleine davon abhängig, wie viel Mühe die Frau sich gibt dabei, den Mann glücklich zu machen. Scheidung ist keine Option, solange die Frau fleißig genug ist, solange sie für den häuslichen Segen genug geleistet hat. Vom Mann verlassen zu werden ist immer dann ein Risiko, wenn man seine häuslichen Pflichten vernachlässigt hat. Es ist eine göttliche Ordnung. Und Gott kommt um 17.30 Uhr hungrig nach Hause.

Aus dieser Logik heraus lässt sich die neurotische Gründlichkeit erklären, mit der Tradwives ihren Alltag zu absolvieren scheinen. Während das Abendessen auf dem Herd warm wird, frischen sie ihr Make-up auf, zünden eine Duftkerze an, wischen Münder von Kindern ab und erklären mit einem Augenzwinkern, dass sie sich sicherheitshalber schon mal in *Stimmung* bringen, falls der Mann nach Hause kommt und Lust auf Sex hat. Nein sagen ist natürlich eine Option, bedroht aber die eigene Lebensgrundlage.

Alles, was der Ehemann einer Tradwife tut, kann im Zweifel so umgedeutet werden, dass die Frau versäumt hat, eine gute Frau zu sein. Wenn er nach Feierabend noch mit Freunden in die Kneipe geht, ist das Haus nicht gemütlich genug, wenn er anderen Frauen hinterherguckt, hat man zu Hause nicht genug Spannung geboten. Wenn er fremdgeht, wird es damit zusammenhängen, dass man nicht mehr so aussieht wie am Tag der Ehe. *Er hat sich in dich verliebt, als du jung und schön warst, was erwartest du, jetzt, wo du alt und fett bist?*

Tradwives glauben an eine *mystische* Geschlechteraufteilung. Frauen sind im Kern und von Haus aus nährend, schwach, angewiesen auf einen starken Mann. Jeder Mann ist im Kern stark, will der Versorger sein, braucht einen Ort, an den er heimkehren kann. Diese Geschlechterrollen zu erfüllen und den eigenen Part möglichst glaubwürdig zu spielen, stellt für Tradwives die Endstufe des eigenen Seins dar. Wer ein Leben führt, das nicht dieser Idee von Geschlechtern entspricht, hat bisher einfach versäumt, an die eigene, wahre Essenz zu gelangen. Ein Mann braucht eine Frau und andersherum. Homosexualität gibt es nicht, oder wenn es sie gibt, kann sie einen nie so glücklich machen wie eine heterosexuelle Beziehung.

Immer wieder zeigen Tradwives das Schreckensszenario ihres früheren Lebens auf: Sie erzählen von frustrierenden Dating-Anekdoten, von der auslaugenden Erschöpfung, die sich einstellte, als sie ihr Geld selbst verdienen mussten, nach Feierabend in langen Schlangen von Supermarktkassen standen, in einer leeren Wohnung Tiefkühlgerichte zu sich nahmen, auf Online-Dates gingen, wo der Mann die Rechnung im Restaurant teilen wollte.

Tradwives äußern die gleiche Kapitalismuskritik wie Linke: Arbeitszeiten sind unvereinbar mit Selbstverwirklichung, Städte vereinsamen die Menschen, der Mensch ist nicht gemacht für Fünf-Tage-Wochen. Tradwives allerdings kritisieren nicht das System, sie stellen einfach fest, dass sie nicht gemacht sind für das System. Es *ist* eine Welt, die für Männer gebaut wurde. Das muss allerdings kein Problem sein, wenn man sich damit abfindet. Das einzige Fragezeichen, dass sich aus dieser Logik ergibt, ist: Wenn das Arbeiten in der großen weiten Welt Männer so sehr erfüllt, wieso müssen ihre Frauen sich trotzdem jeden Tag so anstrengen, um sie nach Feierabend einigermaßen glücklich zu machen?

Der Erfolg von Tradwives in sozialen Netzwerken repräsentiert nicht direkt die Menge an Frauen, die sich auch nach einer *nuclear family* sehnen, sondern lediglich die Menge von Frauen, die sich für das Thema interessieren. Es ist zunächst nicht entscheidend, ob jemand recht hat, solange er faszinierend ist. Und Tradwives waren faszinierend, ehe man sich die Frage stellen konnte, ob sie vielleicht gefährlich sein könnten. Konservative beherrschten es immer schon besser als andere, für ihre eigene politische Agenda in Kauf zu nehmen, dass andere sich über sie lustig machten. Die Gegenleistung für dieses Lustigmachen sind Klicks, Kommentare, Reichweite. Je mehr Leute einen hassen, desto mehr Leute erreicht man, die einen vielleicht bald lieben werden. Einige der Tradwives schienen nicht nur in Kauf zu nehmen, Spott im Internet ausgeliefert zu sein, sie schienen es zu provozieren, weil sie wussten, dass es ihrer Propaganda diente. Eins der erfolgreichsten Tradwives-Videos aller Zeiten zeigt zwei junge Frauen dabei, wie sie trotzig-unbeholfen beweisen, was sie alles können – im Gegensatz zu linksliberalen Feministinnen. *I'm not a Feminist – I can actually cook,* sagt eine von ihnen, bevor sie lasziv einen Teller unterdurchschnittlich appetitlicher Nudeln über die Arbeitsfläche der Küche schiebt. Tradwives ertrugen, dass Linke über sie lachten, weil sie wussten, dass sie sich währenddessen weiter ins öffentliche Bewusstsein graben. Einen Teller Nudeln nach dem anderen.

Die Propaganda, die hinter all den witzigen Nudel-Videos steckt, ist klar. Die Befreiung der Frau ist schuld daran, dass Ehen scheitern. Traditionelle Geschlechterrollen sind die einzige Absicherung, die Frauen brauchen. Die Qualität einer Beziehung steht in direktem Zusammenhang mit der Disziplin einer Frau. Und letztlich ist das Scheitern einer Beziehung immer darauf zurückzuführen, dass eine Frau sich nicht genug bemüht hat. Nicht höflich genug war, nicht dünn genug geblieben ist, nicht ausreichend devot war. Konservative lassen sich nicht scheiden, zumindest nicht, wenn die Frau ausreichend konservativ bleibt.

Die deprimierende Langzeit-Pointe zu Tradwives findet man in den Videos von Frauen, die mal Tradwives *waren*. Frauen erzählen davon, dass sie früher als Tradwives gelebt haben, ehe die für sie damals unvorstellbar scheinende Scheidung über sie kam. Sie erzählen, wie viel Selbstwert sie aus ihrem Dasein als brave Hausfrau und Mutter zogen, bis ihr Mann sie dann nach zwanzig Jahren Ehe für eine jüngere Frau verließ. Es sind zu viele, um daran glauben zu können, dass alle von ihnen Geschichten erfunden haben, um im Internet Mitleid zu erhaschen von Fremden, und es ist ein zu häufig auftretendes Phänomen, dass man so tun könnte, als sei es *unvorstellbar:* Der Mann, der eine Familie gründet und dann noch mal durchstartet, mit einer Frau, die so alt ist wie seine Frau war, als er sie heiratete. Männer, die ihre ersten Langzeitpartnerinnen als Mittel zur Selbstverwirklichung betrachten, eine Partnerin, die ihm dabei hilft, sich das Leben aufzubauen, das er führen möchte, ehe er nach der Hälfte seines Lebens dann all die Dinge möchte, um die sie ihn seit Beginn der Beziehung angebettelt hat. Die ehemaligen Tradwives scheinen ihre Videos in der Hoffnung zu posten, junge Frauen davon abzuhalten, denselben Lebensweg wie sie einzuschlagen. Ihr Ton ist empathisch und verständnisvoll, manchmal schwingt in ihrer Stimmte eine rührende Sehnsucht mit, wenn sie ihr Leben früher beschreiben. Sie zeigen sich, wie sie in ausgebeulten Jogginghosen in den Baumarkt fahren, um Werkzeug zu kaufen für Reparaturen, von denen sie es sich nicht leisten können, sie von einem Profi durchführen zu lassen, Reparaturen, von denen sie früher stolz behauptet hätten, dass das *Männersache* sei. Sie posten Screenshots von dem leer geräumten Alimente-Konto, auf das der Ex-Mann, der ehemalige Superversorger, das letzte Mal vor Monaten etwas überwiesen hat. Sie filmen sich im Auto sitzend, während sie die letzten Minuten vor Schichtbeginn ihres Jobs abwarten, den sie nie haben wollten. Es sind keine spät bekehrten Frauen, die plötzlich radikale Feministinnen geworden sind. Sie reden mit Sehnsucht und Liebe über den Lebensentwurf, für den sie sich in ihren Zwanzigern entschieden haben. Es sind schöne, erschöpfte Frauen, denen man ansieht, dass sie in jungen Jahren noch viel schöner waren, schön genug, um als Gegenleistung für ihr Aussehen ein ganzes Leben finanziert zu bekommen, von einem Mann, der bereit war, so zu tun, als würde er das bis zum Ende seines Lebens so wollen.

Nara Smiths Parodie auf ein Leben, das sie nicht führen wollte, wurde zu einer Multimillionen-Dollar-Operation. Ihre Abrufzahlen auf TikTok wachsen immer weiter, sie ist auf Covern von Modemagazinen, im Fernsehen, auf den wichtigsten Modeschauen der Welt eingeladen. Je weniger ihr Leben dem einer Tradwife entspricht, desto hartnäckiger wollen Kritiker ihr dieses Label ankleben, vielleicht auch, weil sie sich endgültig dem größten Risiko entzogen hat, das echten Tradwives irgendwann blüht. Nara Smith hat ausgesorgt. Sie wird nie etwas in ihrem Haus reparieren müssen, selbst wenn ihr Mann Lucky irgendwann mit einer jüngeren Frau durchbrennt.

Was Nara Smith wirklich ist, hängt davon ab, was man in ihr sehen möchte, und es ist mit steigendem Erfolg irgendwann auch egal geworden, was sie wirklich ist, weil sie zwangsweise auch zu dem wurde, was das Internet aus ihr machen wollte. Sie ist der perfekte Internetstar der 2020er, eine Person, die sich mit nahezu jedem Kontext, in dem man sie betrachten möchte, abfinden kann.

Die einzige Frau, die noch berühmter im Internet in ihrer Küche steht als Nara Smith, ist Hannah Neeleman. Die junge achtfache Mutter (Stand 2025) zeigt, wie sie den Alltag in einer gottesfürchtigen Großfamilie auf einer Farm bewältigt. In altmodisch wirkenden Schürzenkleidern steht sie am Herd und stellt mit einem ihrer Säuglinge auf dem Arm Käse her, backt Sauerteigbrot, macht Gemüsesuppe mit Kürbissen aus dem eigenen Garten. Neeleman ist wunderschön, eine blonde, weiße, schlanke, symmetrische Frau, die in ihren Videos mit einer niedlichen Geduld mit ihren Kindern spricht. Ihren Account nennt Neeleman *Ballerina Farm,* denn ehe sie mit ihrem Mann und ihrem damals ersten Kind nach Utah auf ihre Farm zog, absolvierte sie an der renommierten Juilliard School of Dance in New York eine Ausbildung zur Ballerina. Sie wurde währenddessen schwanger und entschied sich im Anschluss gegen ein Leben als Tänzerin und für ein Leben als Hausfrau und Mutter. Allein dieser Lebenslauf macht sie zu einer Reizfigur für Feministinnen. Eine potenziell lebenstraumverwirklichende Karriere nicht anzutreten, um *einfach Kinder* zu bekommen, erscheint wie Hochverrat an Frauen auf der ganzen Welt.

Ähnlich wie bei Nara Smith kann man auch in Neeleman sehen, was man in ihr sehen möchte. Sie ist die Frau, die sich für die große Liebe auf dem Land entschieden hat. Sie ist die Frau, deren Traum der einer Großfamilie ist. Sie ist die Frau, die von einem Mann gegen ihren Willen geschwängert und dann dadurch in seine Familie gezwungen wurde. Einige sehen in ihr die Frau, die sich für ein Leben auf der Farm entschieden hat. Andere sehen in ihr eine Frau, die sich einen milliardenschweren Erben der Fluglinie *jetBlue* ausgesucht hat, um sich und ihre Familie auf einer luxuriös, aber einfach wirkenden Farm dabei zu filmen, wie sie so tut, als sei sie *nur* Hausfrau und Mutter. Neeleman ist die Frau, die acht Kinder hat, eine ganze Farm betreibt, eine Ehe führt und dennoch nicht weiß, was sie will. Gott sei Dank hat sie Millionen von Follower, die ihr sagen können, was sie in Wahrheit ist.

Neeleman ist – genau wie Smith – Unternehmerin. Ihre Reichweite erwirtschaftet ganz sicher unvorstellbar hohe Summen, und das monatlich. Zusätzlich verkauft sie in ihrem Online-Store Produkte für eine gespielte Zeitreise, genau die Zeitreise, die sie und ihre Familie in ihren Videos zelebrieren. Wenn ich durch die seitenweise vorhandenen Produkte in ihrem Shop scrolle, ergibt sich in mir eine Cosplay-Sehnsucht, die ich sonst nur bei einem Besuch in einer Manufactum-Filiale habe oder wenn ich gerade eine neue Wohnung bezogen habe. Ich möchte dann eine Frau spielen, die ich nie war und nie sein werde, eine Frau, für deren Darstellung ich auch gar keine Zeit habe, für die ich mich, wenn ich ehrlich bin, auch nicht weiter interessiere. Es ist eine Frau, die in meiner Vorstellung routiniert Brote backt, ein Weckglas mit dehydrierten Bohnen parat hat, um Quiche-Böden blindzubacken, es ist eine Frau, die abends ein Stück bodenständigen Käse isst und schon seit Jahren kein Verlangen mehr hat nach industriell hergestellten Lebensmitteln. Neeleman verkauft pulverisierte Sauerteigstarter (15,95 €), eingeschweißte

Croissants zum Aufbacken (30 Stück für 134,95 €), kitschige Gewürzsalze (*Heidelbeerblüte und Zitronenzeste*, 400 g für 13,95 €), aber auch Cowboy-Boots (verschiedene Farben, 278,95 €) und eine Baseball-Cap mit der Aufschrift *Rodeo Queen* (23,95 €).

Was Neeleman jeden Tag postet, lässt sich auch als vor allem erfolgreiche PR für ihren Online-Store betrachten. Sie baut eine emotionale Verbindung zu einem Lebensstil auf, den sie selbst nicht führt, und wird reich damit, dass andere Frauen versuchen, ihr nachzueifern. Die Rezepte, die sie online postet, sind so lächerlich aufwendig, dass sie streckenweise an die Parodien von Nara Smith erinnern. Für ein Grilled-Cheese-Sandwich bereitet sie Pesto vor, schlägt aus Sahne Butter, stellt in einem großen Emaille-Topf auf dem Herd einen Weichkäse aus selbst gemolkener Kuhmilch her und schneidet einen frisch gebackenen Laib Sauerteigbrot auf. Auch sie ist die perfekte Projektionsfläche, weil sie nie eindeutige Antworten gibt auf naheliegende Fragen. Ob ihre Rezepte jeden Tag so aufwendig sind? *Nein, aber es sei ihr wichtig, frisch für ihre Familie zu kochen* und so weiter. Frauen, die mit dem Tradwives-Lebensstil sympathisieren, können in ihr die Vordenkerin eines modernen Konservativismus sehen, andere betrachten ihre Social-Media-Accounts als Teil der genialen Marketingstrategie einer modernen Geschäftsfrau.

Egal, was man in Neeleman sehen möchte, zweifelsfrei ist ein Grundpfeiler ihrer Arbeit mormonische Propaganda. Sie und ihr Mann Daniel kommen beide aus strenggläubigen Familien, sie gehören weiterhin der Kirche an, die großen Wert darauf legt, dass ihre Anhängerinnen Familien gründen und diese als Kern ihres irdischen Lebens betrachten. Neeleman thematisiert zwar nie aktiv ihr Mormonentum, antwortet aber auf Nachfragen zu ihrer Familien- oder Lebensplanung genau wie ihr Mann damit, dass all das in *Gottes Händen* liege. Auch wenn sie nicht proaktiv für ihre Kirche wirbt, wird dennoch deutlich, dass sie und ihr Mann es als ihren göttlichen Auftrag verstehen, durch die große Reichweite von *Ballerina Farm* Werbung für ihre Kirche zu machen.

Es ist, als gäbe es einen konservativen Matroschka-Effekt von Internet-Phänomenen, die alle für sich genommen niedlich und harmlos wirken, die sich immun machen gegen die vermeintlich linke Angewohnheit, in allem ein Problem zu sehen. *Clean Girls* legen die Grundlage für Tradwives, Tradwives werben für antiliberale Kirchengemeinden, und vermutlich wird es in der Zukunft einen Kurzmediendienst im Internet geben, der es schafft, das, was sich in der nächstkleineren Puppe verbirgt, auch in einem vermeintlich niedlichen Internet-Trend zu verpacken.

Auch Nara Smith ist Mormonin, was sicher auch bei ihr ein wichtiger Pfeiler ihres Daseins als Vielleicht-Tradwife im Internet darstellt, denn die Überschneidungen vom Lebensentwurf der Mormonen zu dem der Tradwives ist eklatant hoch: früh heterosexuell heiraten, viele Kinder bekommen, die Familie über alles stellen. Im Gegensatz zu Neeleman, die ihre klare mormonische Ausrichtung nicht dementiert, ist Smith schwammiger, wenn sie nach ihrer Verbindung zu der Kirche gefragt wird. Sie (ebeso wie ihr Mann) sei zwar Teil der Kirche, sie sei aber keine *Hardcore-Mormonin.* Die Hochzeit der beiden habe auch nicht in einem Mormonentempel stattgefunden, was ein klarer Indikator dafür ist, dass mindestens einer von beiden sich nicht ansatzweise so aktiv mit der Kirche identifiziert, wie es wohl nötig wäre, um heimlich Mormonen-Propaganda mit Kochvideos zu betreiben.

Im September 2024 besuchten Nara und ihr Ehemann Lucky Smith die *Ballerina Farm,* der Besuch wurde durch idyllische Videoaufnahmen von umhertollenden Kindern im Internet dokumentiert. Die beiden Paare verbrachten einen nach eigenen Aussagen *friedlichen* Tag mit ihren zahllosen Kindern in der Natur und tauschten sich über Gemeinsamkeiten aus. Beide seien Mütter und hätten eine Leidenschaft fürs Kochen, seien aber auch unterschiedlich, erklärte Smith wenig später in einem Interview. Die Worte, die beide in ihren Videos wählen, um den gemeinsamen Tag zu beschreiben, wirken sorgfältig ausgewählt und wie beiläufig aufgesagt. Es geht um Harmonie und Friedlichkeit, um Austausch und Gemeinschaft. Das Wort *Gott* kommt nicht vor. Was aber bleibt, ist eine eintägige Werbesendung für die Werte der mormonischen Kirche, gesendet an Millionen von Frauen im Internet, die sich, ironisch oder aufrichtig, gerne anschauen, wie zwei Frauen in ihren Küchen stehen und Sachen *from scratch* zubereiten.

Mein Privatleben ist das Gegenteil von dem von Nara Smith und Hannah Neeleman. Ich arbeite, mein Partner Max ist Koch, ich *besitze* nicht mal eine Pfanne, und selbst wenn ich eine hätte, könnte ich ihn sicher nicht damit beeindrucken, dass ich in ihr etwas *zaubere*. Wir verachten Sauerteigbrot. Ich besitze keine Schürze und möchte, dass das so bleibt. Ich habe dennoch eine Faszination für die Videos von Smith und Neeleman, spüre dieselbe Sehnsucht, die offenbar Millionen von anderen Frauen spüren, wenn sie die Inhalte sehen. Diese Sehnsucht hat bei mir nichts mit dem Wunsch nach einem konservativer geführten Leben zu tun, nichts mit mystischer Geschlechterordnung. Die Videos entspannen mich, weil sie so tun, als gäbe es keinen Alltag. Ich weiß nicht, ob Neeleman oder Smith wirklich die perfekte Hausfrau spielen, aber sie spielen Frauen, die keinen Alltag haben. Nie stellen sie die Hektik oder Monotonie eines echten Lebens dar, alles, was sie tun, wirkt wie ein glamouröser Einzelfall. Die Sehnsucht nach einer Version von mir, die ich empfinde, wenn ich bei Manufactum Emaille-Töpfe anstarre, wird zum Teil befriedigt, wenn ich Nara Smith dabei zuschaue, wie sie Zwiebeln einlegt. Es ist eine Sehnsucht nach einer Abwesenheit von Alltag, von einer Welt, die friedlich ist und daraus besteht, ein Rezept zu befolgen, für das alle nötigen Zutaten bereits abgewogen in kleinen Glasschüsseln auf der Arbeitsfläche bereitstehen. Es ist eine Sehnsucht nach einer Welt, in der es keinen Abwasch gibt und keine Fahrten zum Supermarkt, weil man versehentlich die falschen Nudeln gekauft hat. Man steht in dieser Welt nie schwitzend in Winterjacken in der Schlange von Self-Check-out-Kassen, man sucht keinen Parkplatz, und man räumt keine Einkäufe ein. Paradoxerweise lösen die Frauen, die für manche als konservative Oberhausfrauen gelten, in mir eine Sehnsucht danach aus, nie eine Frau geworden zu sein, nie gelernt zu haben, Oberflächen abzuwischen, einen Einkaufszettel zu schreiben, *im Vorbeigehen* etwas wegzuräumen. Ich genieße die völlige Abwesenheit von Routine in den Videos. Ich kann mich in diesen Videos nach einer Version von mir sehnen, die mit derselben theatralischen Selbstdarstellung kocht, mit der mein Vater einmal im Jahr an einem Sonntag Käseomelett zubereitet hat. Neeleman und Smith sind keine Tradwives, sie sind Frauen, die in ihren Videos Frauen spielen, die nie Frauen geworden sind, die nie zum Wegräumen und Abwischen erzogen wurden. Ich bekomme Einblicke in ein Leben, das es ganz sicher nicht gibt: eins ohne Routinen. Vielleicht sogar ohne das sich immer und immer wiederholende Einklopfen von Seren und das Flechten von Haaren.

Die beiden Feministinnen Katie Gatti Tassin und Caro Claire Burke haben sich in ihrem Podcast *Diabolical Lies* 2024 des Tradwife-Phänomens angenommen, unter anderem, indem sie einen Essay einer anonymen Frau von dem Newsletter-Dienst Substack vorlasen. Ihre Geschichte war so was wie das mahnende Gegenstück zu den Erzählungen Dutzender Frauen auf TikTok, die zeigten, wie mühsam und ärmlich ihr Leben war, weil sie sich vor Jahren auf ein traditionelles Lebensmodell einließen. Diese Frau erzählte davon, wie ruhig und angenehm ihr Leben war, seit sie sich in ihrer Beziehung dazu entschlossen hat, sich konservativen Geschlechterrollen hinzugeben. Ausschlaggebend für diese Entscheidung war ein Haarschnitt, der ihrem Partner nicht gefiel. Sie hatte sich die Haare kurz schneiden lassen und war von seiner Reaktion so verunsichert gewesen, dass sie in eine monatelange Sinnkrise stürzte. (Ohne den Essay zu kennen, stellen sich die meisten die Reaktion des Mannes wahrscheinlich als absolut *schrecklich* vor, patriarchal und respektlos. Tatsächlich ist es deprimierend, im Original zu lesen, dass seine Reaktion allerhöchstens als zögerlich und dennoch liebevoll beschrieben werden kann, was einem mehr Aufschluss über die Grundverunsicherung der Frau gibt als über das Anspruchsdenken des Mannes.) Die Frau beschreibt ihre Reaktion im Text als existenziell, plötzlich stellte sie sich die Frage: Wieso ist es mir so wichtig, meinem Mann zu gefallen? Wieso fühlt es sich so furchtbar an, mein Aussehen verändert zu haben auf eine Art, die er weniger attraktiv findet? Wovor habe ich Angst? Wieso habe ich mir die Haare überhaupt geschnitten? Wieso *Haare?* Und so weiter. Statt zu hinterfragen, woher ihre krankhaft wirkende Abhängigkeit von der Anerkennung ihres Mannes kommt, ergibt sich die Frau schließlich ihrer Gedankenspirale. Sie beschreibt ein Gefühl der Sehnsucht nach der Zeit vor dem Haarschnitt, als ihr Mann (ihrer Auffassung nach) ihre Frisur noch mochte. *Es ist nur ein Haarschnitt, beruhige dich bitte,* möchte man der armen Frau zurufen, aber die Krise endet mit der vermeintlichen Klarheit darüber, dass es feministische Propaganda war, die sie dazu veranlasst hat, sich die Haare schneiden zu lassen. Nicht *sie* wollte wirklich einen neuen Haarschnitt, andere Frauen und vor allem der linksliberale Zeitgeist hatten ihr einreden wollen, dass es löblich sei, sich in einer Beziehung zu einem Mann immer auch in einem ständigen Kampf mit ihm zu befinden. Sie betrachtete die Art, mit der sie ihre Beziehung bisher geführt hatte, und schien plötzlich ein und dasselbe Muster zu entdecken, was sie glaubte, auch bei ihrem neuen Haarschnitt entdeckt zu haben: ständig tat sie Dinge, um mit ihrem Mann in einen unnötigen Konflikt zu treten. Sie beschwerte sich über nicht erledigte Aufgaben im Haushalt, über Abende, die er mit Freunden verbrachte statt mit ihr, darüber, wer nach Feierabend kochen oder einkaufen gehen sollte. Plötzlich hatte sie eine Erleuchtung: Wenn sie aufhören würde, ihrem Mann das Leben schwer zu machen, indem sie Ansprüche an ihn stellte, würde ihre Beziehung auch endlich friedlich werden. Der viele Streit in ihrer Beziehung war kein Symptom einer unguten Dynamik, sondern ein Beweis dafür, dass sie nicht in ihrer *authentischen Weiblichkeit* angekommen sei. Sie ließ sich die Haare lang wachsen. Trug auch zu Hause Kleider und Röcke, kümmerte sich alleine um den Haushalt, beschwerte sich nicht, wenn ihr Mann spät nach Hause kam oder vergaß, eine Aufgabe zu erledigen. *Wie durch ein Wunder* verändert sich ihre Beziehung. Es gab keinen Streit mehr, keine Diskussionen, ihr Mann bemerkte anerkennend, dass sie sich häufiger frisierte und schminkte, auch im Haus darauf achtete, in femininer Kleidung herumzulaufen.

Sie übernahm Aufgaben, die sie früher zwischen den beiden aufteilen wollte, einfach selbst und nahm euphorisch wahr, wie das dazu führte, dass sie genau wie ihr Mann glücklicher wurde mit dem Leben, dass die beiden führten. Das Ganze liest sich wie eine Miniatur von *1984*. Am Anfang lehnt sich die Hauptfigur Winston Smith noch auf gegen das System, das ihn unterdrückt, am Ende, nur ein wenig Gehirnwäsche später, fiebert er beim Anschauen der Propagandafilme mit, die dem Volk gezeigt werden.

Der Essay der Frau ist berührend in seiner eifrigen Naivität, *ich habe aufgehört, von meinem Mann zu verlangen, mich gleichberechtigt zu behandeln, seitdem streiten wir seltener.* Aber sie nimmt die mögliche Kritik daran vorweg mit genau der Argumentation, die sich gerade in sozialen Netzwerken ständig findet: Es ist mein Leben, lasst mich doch.

Wenn Tradwives erklären, wieso ihr traditioneller Lebensentwurf der überlegene ist, kommt früher oder später der Moment, in dem sie von der *Friedlichkeit* sprechen, die sich in ihrem Leben eingestellt hat. Alles sei an seinem Platz, die Verhältnisse seien geklärt, es gebe keine falschen Erwartungen, keinen Streit über Dinge, über die man nicht streiten muss. Selbst Tradwives scheinen allerdings zu verstehen, dass der Preis, der für diesen Frieden gezahlt werden muss, aufseiten der Frau liegt: Es wird weniger gestritten, weil sie weniger Streit anzettelt. In der Logik traditioneller Frauen ist das aber ein angemessener Preis, den es zu zahlen gilt, weil Frauen *von Natur aus* mehr Bedürfnis nach Friedlichkeit hätten. Mit dem eigenen Mann zu streiten, fällt am Ende der Frau selbst auf die Füße. Es sei Selbstschutz, sich in die starken Arme eines Mannes zu begeben, denn nicht nur, dass Frauen nicht gemacht sind für den Druck und Stress, den ein Vollzeitjob bedeutet, sie sind auch diejenigen, die am meisten profitieren von einem harmonischen Heim. Den Mann glücklich machen, damit man selbst glücklich sein kann.

2024 erschien ein großes Porträt über *Ballerina Farm* in der New York Times. Die Reporterin hatte Neeleman und ihren Ehemann begleitet und versucht, sich und den Lesern das Phänomen des traditionellen Lebens besser zu erklären. Wenn man Neeleman im Interview reden hört, ist auch da wieder der Appell an die Friedlichkeit, die sie gewonnen hat, seit sie ein Leben auf dem Land mit ihrer Großfamilie führt, im direkten Kontrast zu dem Leben, das sie als Profi-Tänzerin geführt hätte. An einer Stelle des Artikels zitiert die Journalistin Neeleman. »I was a good ballerina«, sagt sie über ihre Zeit vor der Großfamilie. Ihr Ehemann Daniel redet in dem Artikel zufrieden über seinen Lebenstraum, der in Erfüllung gegangen ist, darüber, dass sie keine Nanny beschäftigen, obwohl sie es sich natürlich leisten könnten, viele Kinder passten ab einem gewissen Punkt auch einfach gegenseitig aufeinander auf. Der Artikel beschreibt weiter, dass Hannah vor Erschöpfung teilweise eine ganze Woche das Bett nicht verlassen kann.

Es ist mein Leben, lasst mich doch, ein bisschen weniger schnippisch und vielleicht etwas christlich angehauchter verteidigte Neeleman ihren Lebensentwurf, zwei Wochen nachdem der Times-Artikel erschien. Es sind diese Momente, in denen man erschrocken im Internet stehen bleibt und merkt, dass man gar nichts weiß. Man will diese Leute verurteilen, natürlich möchte man das, man möchte ihren brutal wirkenden Ehemann öffentlich angreifen, und Hannah Neeleman möchte man so lange schikanieren, bis sie endlich zugibt, was man glaubt, längst zu wissen. Bitte sag uns endlich, dass du in Wahrheit unglücklich bist, fremde Frau im Internet, dass du in Wahrheit lieber Ballerina geworden wärst, dich aber von dem Glauben deiner Eltern und einem damals fremden Mann hast unter Druck setzen lassen. Sag uns, dass du manchmal gerne in den Supermarkt gehen würdest, um Toastbrot zu kaufen, dass du davon träumst, abends eine Dose aufzumachen oder eine Pizza zu bestellen. Sag uns, dass du genauso leidest wie wir, dass es dir Mühe bereitet. Sag uns bitte, dass du nicht wirklich glaubst, dass das Geheimnis für ein Leben als erfüllte Frau darin liegt, sich auf die guten alten Zeiten zu berufen. Denn wenn das Leben, das eine Frau glücklich machen kann, *so* aussieht, dann führe ich das falsche Leben. Manchmal können nämlich nicht alle Sachen gleich wahr sein, vielleicht sind nicht einmal zwei Sachen gleichzeitig wahr. Wenn du wirklich glaubst, dass es der Wille Gottes ist, als Frau Fische zu dämpfen und so lange Kinder zu bekommen, bis die eigene Gebärfreudigkeit irgendwann nachlässt, dann sag mir bitte ehrlich, was du von mir hältst, wenn ich im Supermarkt stehe und nach schnellen Nudelrezepten google, weil ich nicht weiß, was ich für mein Single-Abendessen einkaufen soll.

Wieso bist du so glücklich mit einem *Mann,* will ich sie fragen, und das klingt brutal und wie eines dieser Dinge, die man bösen Feministinnen anhängt. Die Wahrheit ist, dass es nicht meine Vorstellungskraft übersteigt, *glücklich* zu sein in einer Beziehung, aber es übersteigt meine Vorstellungskraft, dass es einen Seinsmodus als Frau gibt, in dem man über all die Dinge, die ich für universell wahr halte, hinwegsehen kann. Das, was Männer gelernt und nicht gelernt haben, von ihren Müttern, die dreckigen Teller auf der Arbeitsfläche, die zu selten neu bezogene Bettwäsche, die vergessenen Jahrestage – das ist ja nicht meine persönliche Deprimiertheit, das ist doch eine universelle Wahrheit, dass das so ist, oder, Hannah? Du wohnst auf einer Farm am anderen Ende der Welt, und wir kennen uns nicht, vielleicht sind wir einfach wirklich völlig unterschiedlich, aber wir können uns doch auf die eine universelle Wahrheit einigen, die im Internet als ständige Behauptung über unserer *girlhood* schwebt. Ich tue das, was wir alle, Zehn-, Hunderttausende von Frauen im Internet tun: Wir zoomen in Selfies und beobachten die Mimik deines Mannes in den Videos, die du postest, weil wir glauben, anhand seiner Körperhaltung herauslesen zu können, was er *wirklich* über dich denkt. Diese anderen Frauen und ich kennen nicht dich, Hannah, aber wir glauben, deinen Mann zu kennen. Wir kennen reiche Männer und gläubige Männer, wir kennen unsere eigenen Unsicherheiten, die schlechten Beziehungen, die wir deswegen geführt haben, und wir finden den Gedanken erträglicher, dass es dir genauso geht, als dass es bei dir anders ist. Wieso sollte es bei dir anders sein? Was kannst du besser als wir? Sag mir bitte nicht, dass die Antwort auf dein Glück im Anrühren eines Sauerteigstarters liegt.

Instagram hat vor einiger Zeit eine Funktion zum Bearbeiten von Videos eingeführt, mit der man automatisch alle Sequenzen eines Videos entfernen kann, in denen nicht geredet wird. Das Ganze ist hilfreich, wenn

Influencer Videos von sich posten wollen, in denen sie eine Geschichte erzählen, während sie sich beispielsweise schminken oder ein Rezept zubereiten. Wenn man die Funktion anwendet, bleiben nur die Sequenzen übrig, in denen geredet wird, in der die Handlung vorangeht, konzentrierter Content. Manchmal würde ich gerne das Gegenteil davon sehen, *nur* die Sequenzen, in denen nicht gesprochen wurde. Die Teile des Videos, die niemand sehen will, die aneinandergereihte Mühe. Das Abwischen des Holzbrettes, das Auskratzen einer Schüssel, das Einräumen der Geschirrspülmaschine, das Morgens-in-die-Küche-Kommen und sie noch vorm ersten Kaffee wieder ausräumen müssen. Vor einigen Jahren fingen Leute an, diese Momente des Alltags *unglamourös* zu nennen, *die unglamouröse Realität hinter der Paris Fashion Week* hießen dann beispielsweise Videos und zeigten Influencerinnen dabei, wie sie sich hektisch und frierend an einer Straßenecken offenbar unbequeme High Heels anzogen, um dann zur nächsten Modenschau zu stolzieren. Ich halte sie für weniger unglamourös als mehr alltäglich, mühevoll. So, wie ich nicht mehr an mühelose Schönheit glauben möchte, glaube ich auch nicht mehr an mühelose Frauenleben im Internet. Ich fühle mich hingezogen und betrogen gleichermaßen von perfekt geschminkten Frauen in lichtdurchfluteten Küchen in Roben von Jean Paul Gaultier, selbst wenn es eine Parodie ist. *Mach dich nur lustig über mich,* ich, die keinen Supercut von ihrem eigenen Leben ins Internet hochladen wird. Kein Best-of, kein Zusammenschnitt der besten Momente. Nur eine Frau und das einfache Nudelrezept, das sie gerade in diesem Moment im Supermarkt gegoogelt hat.

WOHER wissen die Frauen, die *einfach gerne kochen,* dass sie *einfach gerne kochen?*

UND wie viele sind in Wahrheit einfach glücklich, weil sie ihre Rolle deswegen so gut spielen?

FERMENTIERT man im Internet so viel, weil es die einzige Kochtechnik ist, bei der es einen bildlich schönen Zeitsprung gibt?

WÄREN Ballerina Farm und Nara Smith erfolgreich, wenn sie dick wären?

ODER ist das der Kicker: Frauen, die so schlank sind, dass man zumindest fantasieren kann, dass sie das Essen, das sie zubereiten, nicht selbst essen?

DIE ultimative Dienstleisterin, also?

WENN so viele Frauen sich freiwillig um den Haushalt und die Küche kümmern, weil es ihnen angeblich im Blut liegt, wieso gibt es dann vor allem männliche Sterneköche?

HÄTTE Anthony Bourdain während der Pandemie einen Sauerteigstarter angesetzt?

MACHT es einen Unterschied, ob ich einer Influencerin kritisch folge?

ODER ironisch?

WIESO sind die meisten Skincare-Experten Männer, wo doch die meiste Skincare von Frauen benutzt wird?

MACHT es eine Influencerin wirklich weniger zur Tradwife, wenn sie im Internet Geld verdient, oder doch eher zu so was wie einer Über-Tradwife, die ihrem Mann *noch* mehr dient, indem sie in einem Job Geld verdient, den er nicht ernst nimmt?

IN WÜRDE …

Wer erfolgreich im Internet sein will, muss hot sein. Oder besser: es hilft, hot zu sein. Es hilft, schamfrei sexy Fotos von sich zu posten. Vor Jahren hat sich auf Instagram die Formulierung »Selfie für den Algorithmus« etabliert, Frauen schreiben das zu einem Foto von sich, das sie posten, um klarzumachen, dass sie das Foto nicht *freiwillig* posten, sondern, weil sie die anderen Dinge, die sie posten (Statistiken, Artikel, Petitionen) *pushen* wollen. Es ist nicht wirklich eindeutig bewiesen, dass *der Algorithmus* tatsächlich Selfies von Frauen belohnt und Screenshots von Artikeln bestraft. Ich bin häufig genug viral gegangen mit Fotos von Texten, um nicht zumindest ein wenig anzuzweifeln, dass Instagram sich wirklich dafür interessiert, *was genau* viral geht, solange überhaupt etwas viral geht. Ein Teil der Wahrheit ist sicher, dass die Leute lieber Selfies sehen als Links zu Statistiken, Artikeln und Petitionen und *der* Algorithmus das bemerkt und im Anschluss genau diese Selfies deswegen mit mehr Reichweite belohnt. Und selbst wenn eine Mischung aus beidem wahr ist, bedeutet das auch: Nicht mal einen Zeitungsartikel kann man im Internet posten, ohne den Druck zu verspüren, möglichst hot zu sein. Wenn du dich gehen lässt, wenn du das Spiel nicht mitspielst, wenn du deine Hüfte nicht rausstreckst oder die Brust rausdrückst auf deinem Spiegelselfie, ist die Strafe dafür, dass niemand zu Gesicht bekommt, welche Kolumne du heute empfiehlst. Das Alter und Aussehen von Frauen ist (mindestens als Subtext) also ständig Thema in sozialen Netzwerken. Es beeinflusst, wie ernst wir genommen werden, wie viel uns verziehen wird, ob man uns glaubt, dass wir kompetent, erfolgreich sind, ob wir unfreiwillig oder freiwillig witzig sind, verzweifelt oder zufrieden.

Eine junge, hübsche Frau sitzt in einer Filiale der US-amerikanischen Fast-Food-Kette *IHOP,* ihr werden gerade Pancakes serviert. Sie verzieht ihr Gesicht euphorisch und führt im Sitzen einen Freudentanz auf, ihre Schultern und ihr Kopf wackeln cartoonhaft, sie greift zu Messer und Gabel, ohne den Tanz abzubrechen oder den Blick von den Pancakes zu lösen. Diese Pancakes müssen nicht der Höhepunkt ihres Tages, sondern der Höhepunkt ihres *Lebens* sein, könnte man denken, aber man glaubt ihr ihre Euphorie nicht. Irgendwas daran wirkt gestellt und selbstdarstellerisch. Es dauert einen kleinen Moment, bis man das realisiert, was man sich im Internet immer wieder aufs

Neue vor Augen führen muss: Irgendjemand hat für diesen Moment ein Handy aufgestellt und die Videofunktion aktiviert, übertriebene Freude für Pancakes gespielt, das Ganze im Anschluss geschnitten und mit passender Musik unterlegt, um es schließlich zu posten. Zu viel Absicht, um es noch als authentisch empfinden zu können.

Im Hintergrund des Videos sieht man eine weitere Frau an einem anderen Tisch, die sich das Ganze aus der Ferne ansieht, mit einer Mischung aus Irritation und Fremdscham im Gesicht. Das Video der Pancake-Frau ist eines der allerersten, das man findet, wenn man – egal, auf welcher Plattform – nach dem Begriff *millennial cringe* sucht.

Eine junge, hübsche Frau betritt einen US-amerikanischen Diner, sie wirkt abgehetzt, auf eine niedliche Art fast verzweifelt, der Diner sieht gepflegt und kleinstädtisch aus, man scheint sich hier zu kennen. Sie brauche Kaffee, erklärt sie dem Mann hinter der Bar, der schaut sie nur streng an. Wie viele Tassen sie heute schon gehabt habe, fragt er. Sie lächelt kokett. »Keine«, sagt sie schließlich, ohne den Versuch zu unternehmen, tatsächlich glaubwürdig zu wirken. Er schaut wieder streng. »Fünf«, gibt sie danach zu. Widerwillig gibt er ihr eine Tasse Kaffee, die beiden flirten ein wenig. Als sie sich mit ihrem Kaffee an einen Tisch setzt, kommt ein Gast zu ihr, auch er flirtet mit ihr. Sie lässt ihn abblitzen. Schließlich kommt die Tochter der jungen, hübschen Frau in den Diner, auch sie ist jung und hübsch, auch sie braucht dringend Kaffee, auch sie wird von einem Mann angeflirtet. Die erste Szene der ersten Folge *Gilmore Girls.*

Wäre in dieser ersten Szene noch irgendwo untergekommen, dass die beiden unglaubliche Mengen an Fast Food essen können, wären alle wichtigen Dinge über Lorelai und Rory Gilmore bereits in diesen ersten vier Minuten der Serie erzählt. Erst etwas später in der Folge macht Lorelai den Witz, das Wichtigste im Leben seien Familie, Bildung und *Kuchen.*

Die *Gilmore Girls* waren ein Nullerjahre-Phänomen, das seinen Erfolg sicher zum Teil der Tatsache zu verdanken hat, dass es nie als Serie für Frauen wahrgenommen wurde, obwohl sie von Frauen handelt. *Gilmore Girls* vereinte Frauen- und Männerfantasien. Die Hauptfiguren waren wunderschön, ohne scheinbar großen Wert darauf zu legen, Männer waren verrückt nach ihnen, obwohl sie es nicht wollten, sie scheiterten an alltäglichen Aufgaben, nie so sehr, dass es unendlich nervte, aber immer zu viel, um sie nicht zumindest ein bisschen betörend zu finden. (In der ersten Folge verschläft Lorelai den ersten Schultag ihrer Tochter nach den Ferien und findet *keine saubere Wäsche* mehr, weswegen sie Rory in Hotpants und Cowboy-Stiefeln zum Begrüßungsgespräch mit dem Schulleiter begleitet.) Sie waren beschäftigt mit sich selbst, bezaubernd, konnten essen, ohne zuzunehmen, scheiterten pausenlos an ihrer eigenen Niedlichkeit. Sie waren in jedem Moment damit beschäftigt, nicht an der Welt und ihren Widrigkeiten zu scheitern. *Girls* eben.

Lorelai Gilmore war ein *Hot Mess* – ein Typ Frau, der Ende der Neunziger mit Carrie Bradshaw in *Sex and the City* in die Popkultur eingeführt wurde –, Bradshaw war genau wie ihre Nachfolgerinnen in *Gilmore Girls, Bridget Jones* oder *Miss Undercover* niedlich zerstreut, ungeschickt und dabei vor allem für Männer um sie herum entzückend anzusehen. Bildschöne, aber unfreiwillige romantische Einzelgängerinnen, die durch ihre jahrelange Erfolglosigkeit in Beziehungen drohten, schrullig zu werden. *Hot-Mess*-Frauen sagten die falschen Dinge in Meetings, hatten kein Interesse an Konventionen, und vor allem waren sie mit sich und ihrem Scheitern im Alltag so beschäftigt, dass sie für die Männer, die sich in sie verliebten, nie eine echte Gefahr darstellten. Die *Hot-Mess*-Frauen, die Anfang des Jahrtausends herum Serien- und Filmstars wurden, waren menschgewordene *»Ich komm schon klar«*-Floskeln, die Frauen endlich die Erlaubnis zu geben schienen, nicht immer perfekt sein zu müssen (auch wenn die Serienvorlagen in der Regel dennoch zumindest perfekt aussahen). *Hot-Mess*-Frauen waren unabhängig, ohne unweiblich zu sein, begehrt, ohne es zu merken, sie waren nahbar, weil sie am Leben verzweifelten, verantwortungslos im Umgang mit Jobs, Geld und ihrer Zukunft, genau bis zu dem Moment, in dem ein Mann droht, sie gegen ihren Willen zu retten. Ein *Hot Mess* befriedigte den männlichen genau wie den weiblichen Blick, sie war heiß und nicht bedrohlich, und sie war sympathisch und zerstreut, eine Frau, auf die sich alle als spannende Hyperfixierung fürs kommende Jahrzehnt einigen konnten.

Bradshaw, Gilmore und Jones waren *die* Frauen, die Millennial-Frauen in ihrer Selbsterzählung prägen konnten. Die Eigenschaften dieser Heldinnen wurden – verdünnt für den Alltag einer echten Frau ohne mietpreisgebundene Wohnung in Manhattan – von Frauen übernommen und auf ihr eigenes Leben angewandt. Millennial-Frauen erklärten das ständige performative Scheitern am Alltag zu einer begehrenswerten Pose, süchtig nach Kaffee, weil das Leben eine einzige Überforderung darstellt, in einer ständigen Zwischenwelt von Erwachsensein und Kindspielen. Begriffe wie *adulting*, eine kokett-genervte Beschreibung dafür, Erwachsenendinge tun zu müssen, die man in der Regel nur erträgt, indem man große Mengen von Kaffee *oder*

Weißwein in sich hineinschüttet, kommen aus dieser Zeit. Nur: niedliche Frauen haben immer dann ein Problem, wenn sie drohen, alt zu werden.

Cringe wurde zu Beginn der Zehnerjahre Teil der Internetkultur und hatte seinen Ursprung in einer bis heute aktiven Gruppe im Forumdienst *reddit,* in dem User begannen, besonders peinliche Videos und Fotos aus sozialen Netzwerken zu sammeln. *Cringe* bezeichnet eine besondere Form von Fremdscham, die auftritt, wenn man jemandem dabei zusieht, etwas ohne den Anflug einer realistischen Selbstwahrnehmung zu tun. Menschen gehen in Musik-Castingshows, obwohl sie nicht singen können, sie posten sexy Selfies von sich, obwohl sie nicht sexy sind, sie filmen sich in Restaurants beim Essen von Pancakes, weil sie glauben, dabei irre niedlich zu sein, obwohl es alle um sie herum nur peinlich berührt. *Millennial cringe* tauchte ab Anfang der 2020er auf, seit die Gen Z alt genug ist, selbst den Zeitgeist in sozialen Netzwerken zu prägen. Das vermeintliche Ausbleiben von gesunder Selbstwahrnehmung war dabei das, was den Millennial-Frauen zum Verhängnis werden sollte. Sie waren auf die von sich selbst erfundene Erzählung hereingefallen, die nämlich, dass der Prototyp Traumfrau, den sie sich ausgedacht hatten, zeitlos sein würde. Eine entzückende, am Leben scheiternde Frau, der die Welt immer zu Füßen liegen würde, weil sie so niedlich dabei aussah, wenn sie morgens Kaffee in sich hereinschüttete, um einen weiteren Tag *adulting* hinter sich bringen zu können.

2016, wenige Jahre bevor *millennial cringe* ein Phänomen wurde, kam die erste Welle der *Hot-Mess*-Revivals. *Bridget Jones* bekam mehr als zehn Jahre nach den ersten beiden Filmen einen dritten Teil, Netflix kaufte eine vierteilige Mini-Fortsetzung von *Gilmore Girls* ein. Erst einige Jahre später kam mit *And just like that* die *Sex-and-the-City*-Fortsetzung. Die *Gilmore Girls* entlarvten wie kein anderes Revival, wie wichtig es für die *Hot-Mess*-Frau war, überdurchschnittlich attraktiv zu sein. Die Lorelai-Darstellerin Lauren Graham war zu Beginn der Original-Serie Anfang dreißig, bildschön und ultraschlank gewesen, sie hatte genau die Art von Aussehen, die man mitbringen musste, um eine Frau zu verkörpern, die zum Frühstück einen Burger isst, sich mit ihrer Tochter auf der Couch mit Süßigkeiten vollstopft und sie am nächsten Morgen in Hotpants zur Schule bringt. Es wäre undenkbar gewesen, eine dicke oder unattraktive Frau unordentlich oder verfressen darzustellen. (Tatsächlich spielte Melissa McCarthy in *Gilmore Girls* Sookie, die dicke beste Freundin von Lorelai, die, obwohl Sookie als Köchin arbeitete, nahezu nie essend gezeigt wurde und eine fast neurotische Liebe zu hochwertigen, gesunden Produkten und

Zutaten hatte. Sookie hätte nie Fast Food gegessen, das hätte der Zuschauer vermutlich auch nicht so niedlich und hot gefunden. In der vierten Staffel gibt es sogar eine Episode, in der Sookie und Lorelai einen Kindergeburtstag ausrichten und Sookie sich weigert, ungesundes Fast Food zuzubereiten, und stattdessen raffinierte, frische Gerichte kocht, die die Kinder hassen. Sookie ist zwar vor allem in den ersten Staffeln etwas tollpatschig, aber in erster Linie ist sie talentiert, diszipliniert und erfolgreich. Das Gegenteil von *Hot Mess.*)

Beim Revival der Serie 2016 war Lauren Graham immer noch eine außergewöhnlich attraktive Frau, sie sah aber eben nicht so aus, wie Frauen in Serien in der Regel auszusehen haben, wenn sie nicht die dicke beste Freundin spielen wollen, sondern die Heldin der Geschichte sind. Sie hatte zugenommen, nicht genug, um *dick* zu sein, aber doch genug, um der vorwiegend weiblichen Zuschauerschaft von *Gilmore Girls* nebenbei zu erzählen, dass sie möglicherweise unter ihrem Gewicht leiden könnte, so, wie es die Zuschauerinnen vermutlich teilweise selber taten. Das Revival ging verklemmt mit der Tatsache um, dass ihr ehemaliger *Hot Mess* drohte, nur noch ein *Mess* zu sein. Die erste Folge beginnt damit, dass Lorelai und Rory mit Tacos nach Hause kommen, während Lorelais Partner Luke (der – Spoiler! – in der ersten Folge des Originals die

Tasse Kaffee ausschenkt) das Abendessen vorbereitet. Er fragt empört, ob die beiden die Tacos wirklich essen wollen, obwohl er doch gerade kocht. Lorelai steht am Kühlschrank und fragt ihn trotzig und etwas beschämt, ob er sie *bodyshamen* wolle. Die Situation löst sich schnell auf. Aber Lorelai ist gezwungen, das zu tun, was Frauen tun müssen, wenn sie nicht die medial so gern gesehene Werkeinstellung von Frau sind (weiß, jung, dünn, heiß). Sie setzt ihr Aussehen in den Kontext von dem, was gesagt wurde, ehe es jemand anderes machen muss. Sie rennt voraus, im Versuch zu erklären, dass sie *weiß,* was man denken könnte, nämlich, dass sie zu viel isst, dass sich aber niemand Sorgen machen muss wegen dieses Gedankens, weil sie nämlich einen *humorvollen* Umgang mit ihrer sich verändernden Figur gefunden hat. Lorelai spricht im Revival zwar weiterhin über Essen, wird aber nicht beim Essen gezeigt, während das Original ganze Folgen damit bestritt, sie beim Verzehr von Fast Food zu zeigen. Die erste Folge endet mit einem Streit zwischen Lorelai und ihrer Mutter, bei dem Lorelai versucht, ihren Kummer über den Tod ihres Vaters zu verdeutlichen. »Ich habe seit zwei Tagen nichts gegessen«, erklärt sie verzweifelt, woraufhin ihre Mutter spöttisch ausatmet: Sie sei überrascht, dass ihre Tochter sich nicht eine Pizza ans Grab ihres Vaters bestellt habe, während die Beerdigung noch lief. Die Aussage hat etwas Grausames, ihr fehlt die Leichtigkeit, die diese Art von Spitze hatte, als Lorelais Mutter sie im Original ständig am Abendessentisch von sich gab. Lorelai hatte sich verändert. Sie war von der Frau, die Witze darüber machte, dass *Kuchen* die wichtigste Sache im Leben sei, zu der Frau geworden, die vor der Kamera nicht mehr isst, sondern nur noch Witze darüber zu ertragen hat. Ihr ist das Schicksal zuteilgeworden, das auf junge Frauen wartet, die denken, dass bei ihnen eine Ausnahme gemacht wird, wenn es darum geht, mit alternden Frauen hart ins Gericht zu gehen.

Die Erfinder von Carrie Bradshaw gingen mit ihrem Älterwerden in *And just like that* anders verklemmt um. Sie haben der Hauptfigur alle Charakterzüge, die im Original charmant-zerstreut wirken konnten, ersatzlos gestrichen. Die neue Carrie Bradshaw ist ein Remake im Revival, eine Frau, die nur noch aus Eigenschaftsleerstellen besteht: sie mag hohe Schuhe und liebt Mr Big, hat darüber hinaus aber alles abgelegt, was ihr heute charakterlich zum Verhängnis werden könnte. Statt wie früher buchstäblich fragend durch die Welt zu laufen *(I couldn't help but wonder)*, wurde Carrie zu einer Frau, die entweder auf alles Antworten hatte oder klug genug war, politisch korrekt formulierte Vermutungen aufzustellen. Von einer Frau, die verzweifelt auf der Suche nach männlicher Anerkennung in Kostümierungen durch Manhattan stiefelte, um irgendeinen Mann zu bezirzen, wurde eine Frau, die nach dem Tod ihres Ehemannes vor allem davon geplagt zu sein schien, dass sie ihre ehemalige beste Freundin Samantha vermisste. Aus *Sex and the City,* das davon lebte, Frauen zu zeigen, wie sie vielleicht manchmal sind, obwohl sie wissen, dass es besser gehen könnte, wurde *And just like that,* in dem Frauen gezeigt wurden, wie sie zu sein hatten. Das Remake legte unfreiwillig den Charme frei, den ein *Hot Mess* als Hauptfigur mit sich bringt. Um nicht Gefahr zu laufen, dass bei einer alternden Carrie Bradshaw in den Augen der Öffentlichkeit nur noch ein *Mess* übrig bleiben könnte, erzählte das Remake eine völlig neue Frau, die vielleicht vor 20 Jahren mal ein *Hot Mess* war, davon aber nichts mehr wissen wollte.

Bridget Jones ist die Frauenfigur aus dieser Zeit, an der ihre Zuschauerinnen am intensivsten ihre Projektion auszuleben schienen. Bridget Jones *sei* nicht dick, war die damals und vor allem in den Jahren der Revivals vorherrschende Meinung zu der Darstellung der Titelheldin. Es sei ein Schock, dass die schlanke, schöne Renée Zellweger eine angeblich pummelige und unattraktive Frau darstellen sollte. Tatsächlich wurde Bridget Jones nie als dick erzählt, sondern als Frau, die glaubt, dringend abnehmen zu müssen (zwei Dinge, die in nahezu keinem echten Zusammenhang miteinander stehen). Auch wird Bridget Jones nicht als unattraktiv erzählt, sondern als Frau, die nicht glauben kann, dass Männer sie *wirklich* mögen. In Wahrhcit prügeln sich bereits im ersten Film ihre zwei Langzeit-Verehrer Mark und Daniel buchstäblich darum, wer mit ihr zusammen sein darf.

Bridget Jones war vielleicht die perfekteste Vertreterin des *Hot Mess,* einer Frau, die für Männer *und* Frauen funktioniert, weil beide völlig unterschiedliche Dinge in ihnen sehen. Frauen scheinen jede Abwesenheit von klischeeweiblicher Anmut als Beweis für absolute Schrulligkeit und Hässlichkeit zu sehen. Männer scheinen daraus eine sexy Fantasie bauen zu können, solange die dazugehörige Frau in ihren Augen hot genug ist für eine Sex-Fantasie.

Der Humor der Gen Z hätte sich weiterentwickelt, war die weitläufige These, als man auf die Suche nach den Gründen für *millennial cringe* ging. Die Absichtlichkeit, mit der die erste Generation im Internet in die Kamera sprach, die überzeichneten Witze und Gesten, erschloss sich der neuen Generation, die quasi aus Beiläufigkeit bestand, nicht mehr. Der Zeitgeist war ein anderer, und die gerechte Strafe dafür, das nicht zu wissen, ist Hohn.

Anfang 2025, als die erste Welle des *millennial cringe* schon vorüber war und sich die Gen-Z-Erzählung der neuen Coolness etabliert hatte, entdeckte ich – vermutlich mindestens zwei Jahre zu spät – das Model und It-Girl Alex Consani. Consani ist 2003 geboren, sah aber auch damals schon älter aus, nicht auf eine *alte* Art, sondern auf diese zeitlose Topmodel-Art, sie wirkte reifer als andere Anfang Zwanzigjährige, so, als hätte sie schon mit fünfzehn Alkohol im Supermarkt bekommen. Ihr Ruhm begann zu der Zeit, als die popkulturelle Rückbesinnung auf die Zweitausender begann. Die politisch korrekte Zeit in der Mode war wieder vorüber. Die Models wurden wieder dünner, lakonischer, taten in Interviews nicht so, als würden sie ständig Fast Food in sich reinstopfen. Sie war eine Frau, die einen straffen Bauchnabel hatte.

Consani sah aus wie das ideale Topmodel für diese Zeit. Sie war alienhaft wunderschön, dünn und selbstbewusst, vor allem aber hatte sie *Humor.* Es schien, als würde sie bei jeder Fashion Show, auf der sie lief, backstage vorher Interviews geben müssen, ihre Antworten waren schnell, charmant und witzig, vor allem, wenn man sich auf den Gedanken einlässt, dass eine Frau, die *so* aussieht, nicht auch noch mit einem Charakter punkten muss. Die Videos, die sie auf TikTok postete, waren sporadisch und gingen mit wenigen Ausnahmen viral, erhielten 5, 10 oder 15 Millionen Aufrufe. Alex Consani hatte das *gewisse Etwas,* das It-Girls brauchen. Je länger ich sie verfolgte, desto mehr beschlich mich ein Gefühl, eine Irritation, je mehr Videos ich von ihr sah, wie sie sich von ihren Freunden auf einer Straße dabei filmen ließ, wie sie in schlechtem Fantasie-Französisch versucht, einen *Aperol Sprizzzz* zu bestellen, oder ironisch-affektiert auf einem Bahnsteig tanzt, während Passanten versuchen, an ihr vorbeizukommen, desto mehr kapierte ich, dass das das Gleiche ist wie *millennial cringe.* Es ist performativ, es ist überdreht, affektiert und deswegen witzig. Aber: Alex Consani ist jung. Sie ist schön. Sie ist erfolgreich und etwas schrullig, ein *Hot Mess,* dem für die nächsten zehn Jahre alle Türen offen stehen. *It's her world, we're just living in it.*

Vielleicht werde ich Alex Consanis Video in ein paar Jahren in einer *cringe compilation* sehen, oder die Menschen im Internet entwickeln sich wider Erwarten weiter. Vielleicht entwickeln sich meine Gefühle zu den Frauen, die ich im Internet heute bewundere, weiter, so, wie es bei den Frauen in den Nullerjahren der Fall war. Ich war zu jung für Bradshaw, Gilmore und Jones, als sie das erste Mal auf der Bildfläche erschienen, dafür begleiteten sie mich dann später, in allen Phasen meines Frauwerdens, und waren bereit, all die Unsicherheiten, die bei mir in dieser Lebensphase da waren, auf sich zu nehmen und mir zur Seite zu stehen. Als Teenagerin war ich erleichtert, dass *selbst* Bridget Jones einen Mann fand und es für mich dann irgendwann vielleicht auch nicht so schlecht aussah, in meinen Zwanzigern machte mir Mut, dass Carrie Bradshaw ihren Langzeit-on-off-Freund Mr Big zwar offenkundig nervte, sie aber lang genug die genau richtige Menge Niedlichkeit an den Tag legte, dass er sich irgendwann erbarmte, sie doch zu heiraten (auch wenn er dafür zwei Versuche brauchte), und als ich in meine Dreißiger kam, fand ich in den *Gilmore Girls* eine Fortsetzung dieses mysteriösen *Girlhood*-Gefühls, das mich zu dem Zeitpunkt schon fast zwei Jahrzehnte in sozialen Netzwerken hielt: Frausein kann magisch sein, faszinierend, fast berauschend, wenn man nur dünn, weiß und hübsch genug ist. Die Idee, sich einfach immer weiter zu optimieren, bis man irgendwann endlich an diesem ständig versprochenen Lebensgefühl angekommen ist, das einem als so etwas wie die Seinserfüllung des eigenen Frauseins angepriesen wird, erfüllte mich in jeder Lebensphase mit neuer Euphorie. Es ist ein Ende in Sicht. Ich weiß nicht genau, *worauf* ich hinarbeite, aber ich kann das machen, was mir offenbar in meine DNA als Frau eingestanzt wurde: ich gebe mir Mühe. Nicht nur, um geliebt zu werden, nein, ich mache mir die Arbeit, irgendwann das Leben führen zu dürfen, das mir da versprochen wird, eines, in dem ich Fehler haben darf, unordentlich und schrullig sein darf. Die einzige Gegenleistung, die ich erbringen muss dafür, existieren zu dürfen, ist, hot genug zu sein.

Die Revivals all dieser Filme und Serien aus den 2010ern und 2020ern fühlten sich dann an wie der Kater nach einem Abend, bei dem man irgendwelche Grenzen überschritten hatte, in der Hoffnung, dass man sich am nächsten Morgen nicht daran erinnern würde. Die Revivals dieser Frauen, die mir ein Leben versprachen, das mir so viel aufregender und kompromissloser vorkam als das, was ich führte, hatten die Kardinalsünde für Frauen begangen. Sie waren älter geworden. Zu alt, um sich aus jeder Situation herauszuflirten, zu alt, dass ihre Umwelt jeden Makel verzeiht, weil sie niedlich genug sind. Älterwerden schien ein solcher Skandal zu sein, dass nicht einmal die Erfinder und Erfinderinnen dieser Figuren sich dagegen wehren konnten, es anzuerkennen. Sie hatten ihre Heldinnen über Jahre und Staffeln beschützt und geliebt, und selbst ihnen schien es absurd vorzukommen, sie einfach weiter *hot* und *messy* sein zu lassen. Die menschliche Hülle machte nicht mehr mit bei der Attitüde. Die Einsicht, die mich traf, als ich einer plötzlich politisch korrekten Carrie Bradshaw und einer Selbstfindungs-Lorelai-Gilmore dabei zusah, wie sie ihre alten Charaktere hinter sich gelassen und gegen harmlosere eingetauscht hatten, war die, die sich schon seit Beginn meines Frauseins an mich anschlich, auch wenn ich ihr immer wieder versuchte zu entkommen: Das Glück ist geliehen. Der Frieden ist vorläufig. Dein Charakter wird dir nicht geschenkt.

Ich denke ständig an Lorelai Gilmore. Ich denke an sie, wenn ich mir die Augenbrauen zupfe und die Ansätze färbe, wenn ich die korrekte Platzierung von Rouge in meinem Gesicht suche, um es schmaler aussehen zu lassen, wenn ich darüber sinniere, ob Push-up-BHs mein Leben verändern würden, und falls ja, *wie.* Ich denke an sie, wenn ich mich wieder in einer Gedankenspirale aus Scham und Sehnsucht gefangen sehe, wenn es um mein Aussehen geht. Ich will gut aussehen, und ich will niemanden damit beleidigen. Ich will für niemanden gut aussehen, außer für mich selbst. Ich will keine Aufmerksamkeit von Männern, aber ich will in einer Welt bestehen, die um die Aufmerksamkeit von Männern herum gebaut ist. Ich will nicht ich selbst sein, aber ich habe auch Angst vor der Version, die ich sein müsste, wenn ich härter, bedingungsloser, radikaler wäre. Ich glaube nicht, dass irgendeine Frau auf der Welt abnehmen muss. Außer ich, natürlich. Ich will glücklich sein. Ich will nicht mit vierzig von meinem Mann verlassen werden für eine jüngere. Ich will mit sechzig Komplimente dafür bekommen, dass ich toll altere, ich weiß aber nicht, wieso. Ich habe so ein Bauchgefühl, eine Erinnerung an zahllose Situationen, in denen ich danebenstand, während Frauen über eine andere Frau anerkennend gesagt haben, dass sie *toll altere,* was immer nur bedeutet, dass sie jünger aussieht als ihr tatsächliches Alter. Ich will die Ausnahme sein. Ich will meinen

Job behalten. Ich will nicht in 25 Jahren vor die Einsicht gestellt worden sein, dass alles, was ich als junge Frau war, nur funktioniert hat, weil ich eine junge Frau war. Bei jedem Versuch, den ich unternehme, besser auszusehen, als ich es eigentlich tue, erinnere ich mich daran, dass mein Aussehen keine eitle Nebensache ist, es ist und bleibt untrennbar verbunden mit der Frage, wie viel ich als Frau *darf*. Wie belanglos ich sein darf und wie unverschämt. Wie witzig ich sein muss, wie viel Schminke ich tragen sollte. Ob man es widerlich oder sexy findet, wenn ich Nahrung zu mir nehme. Ob es erotisch sein könnte, wenn ich Drogen nehme. Wie oft ich duschen muss und Zeitung lesen, um als gebildet und gepflegt wahrgenommen zu werden. Ob mein Charakter vielleicht doch vor allem darauf beruht, dass genug Männer ihn ertragen, weil mein Aussehen ausreichend dekorativ ist, um für andere Sachen als Ausgleich zu dienen. Mein Aussehen als Frau ist immer mehr als mein Aussehen. Es ist die Frage, welches Leben ich führen will und ob mir dieses Leben von meiner Umwelt erlaubt wird. Es ist mehr als die bloße Frage, wie sehr ich glaube, was *andere* Frauen tun sollten, es ist leider in erster Linie die Frage, was *ich* tun will. Woran ich glaube. Wie meine Beziehungen in 15 Jahren aussehen sollen. Was für einen Job ich haben möchte. Mein Aussehen ist das Aussehen von allen Frauen. Ich bin Teil davon, ich bin *auch* alle Frauen. Und wie ich aussehe, ist der Versuch, mich durch eine Welt zu navigieren, die sich verschiedene Optionen dafür bereitgelegt hat, wie ich als Frau eventuell sein könnte, aber sicherstellt, dass keine von diesen Optionen bedeutet, dass ich erfolgreich bin.

AM ENDE BLEIBT UNS NUR DAS INTERNET

Alex Consani war das erste It-Girl, das ich nicht nur durch den Bildschirm meines Handys sah. 2025, als ich ohne Aufgabe im Backstagebereich einer Modenschau in Paris herumstand, spürte ich die schüchterne Beklemmung, die sich einstellt, wenn man durch Zufall und Glück an einem Ort ist, an dem man eigentlich nichts zu suchen hat. Ich wusste nicht, was genau mir diesen Respekt einflößte, es gab keine konkrete Person oder Instanz, die ich durch meine Anwesenheit beleidigte. Die Summe aller Menschen um mich herum schien aber eine Aura zu haben, bei der ich nicht mitgemeint war. Die Existenz jedes Außenstehenden drohte sie zu gefährden.

Alex Consani würde heute *laufen,* das war das Gerücht, das backstage rumging. Das bloße Erzählen davon entlarvte uns als Außenseiter – wenn wir dazugehörten, würden wir *wissen,* welche Topmodels an diesem Tag da waren. Der Moment, in dem ich Consani sah, ist keiner, der sich durch die Beschreibung minimaler Details aufregender machen lässt. Sie lief eine Treppe herunter und stellte sich in die Schlange von Models, die wie sie auch darauf warteten, dass die Generalprobe losging. Ich hatte den Moment, noch während er passierte, mit Erwartungen aufgeladen, immerhin war sie *das It-Girl* der letzten Jahre. Model des Jahres. Hochbezahlt. In Wahrheit stand sie einfach da und wartete darauf, dass die Arbeit losging. Trotzdem spürte ich, wie sich die Stimmung im Raum minimal änderte, Leute tuschelten, einige machten heimlich Videos, wahrscheinlich, um auf Instagram zu beweisen, dass sie im selben Raum waren wie *sie.* Coolness durch Nähe ist eine Erfindung von Social Media.

Ich suchte in ihrer Mimik nach einer Art von Regung, eine Reaktion darauf, dass jeder im Raum sie bemerkt hatte. Und je genauer ich danach suchte, desto genauer stellte sich bei mir die Vermutung ein, dass es ihr schlicht und ergreifend egal war, was andere Leute über sie dachten. Selbst wenn es wie gerade positiv war. Consani, die wichtigste, coolste, teuerste Frau, stand in diesem Raum, und ihr war alles egal. Nicht auf die gelangweilte Art, die, die voller unaufgelöster Attitüde steckt, es war aufrichtige Gleichgültigkeit. Das, was ich sah, war deutlich mehr als celebrity. Es war *it.*

In diesem Moment, in der Hektik vor der vielleicht glamourösesten Generalprobe, bei der man dabei sein konnte, erschien mir das, was It-Girls offenbar auszumachen scheint, als etwas fast Philosophisches, wie ein Seinszustand, den man als Frau erreichen kann, wenn man sich den richtigen Dingen entzieht. Ich wagte es das erste Mal, mit einer Ernsthaftigkeit über It-Girls nachzudenken, die ich mir vorher verboten hatte. Wahrscheinlich war ich wie so viele auf die Lüge reingefallen, dass nichts, was eine junge, schöne Frau tut, wirklich tiefsinnig sein kann.

Ich hatte schon immer eine Faszination für It-Girls. Ich wusste nicht, woher sie kommen und was ihr Zweck ist, aber ich wusste, dass genau das egal zu sein schien. Sie boten keine Gegenleistung für ihre Existenz an, sie waren nicht nützlich, sie erfüllten kein Bedürfnis, vor allem keines, das Männer zu haben schienen. It-Girls sind schön, aber es war nie bloße Schönheit, weswegen sie auf Partys und Magazincovern auftauchten. Etwas an der Art, wie sie Kleider trugen, ihre Haare frisierten, in Interviews nach ihren Privatleben gefragt wurden, irgendwas daran war der Grund für ihre Besonderheit.

Diese Frauen gaben sich Mühe – sie erfüllten eben nicht die Männerfantasie der Frau, die sich keine Arbeit machte. Sie sprechen ausführlich über Outfits und Beauty-Routinen, sie setzen Trends, die heterosexuelle Männer erst verstehen, nachdem sie wieder vergangen sind, sie filmen sich für die *Vogue Beauty Secrets* und erzählen Millionen von anderen Frauen, was das

Geheimnis ihrer langen Wimpern ist. It-Girls sind *für* die Girls, ein Konzept, das für Männer zunächst keinen Sinn ergibt. Es sind Frauen, die sich Mühe machen und dennoch keinen Wert darauf legen, andere damit zu beeindrucken. Die Mühe, die sie sich geben dabei, schön zu sein, erfüllt keinen Zweck.

Zwei Thesen dazu, die beide magisches Denken voraussetzen: Die eine sagt, dass es Frauen gibt, die *it* einfach haben, eine schwer zu greifende Mischung aus Charisma, Selbstbewusstsein, Gleichgültigkeit und Warmherzigkeit. Diese Frauen haben das Glück, sich mit gewissen Kategorien von Bewertung nicht beschäftigen zu müssen, die können sich mehr erlauben als andere. Die andere These sagt das Gegenteil: Wer hart genug arbeitet, kommt eventuell in den Genuss, *es* zu haben. Durch Fleiß, Disziplin und das Übererfüllen aller Ansprüche kann eine Frau es schaffen, das Spiel so gut mitzuspielen, dass es für sie irgendwann nicht mehr existiert. Oder sie es zumindest nicht mehr bemerkt. Entweder man kann *nichts* dafür tun und ist sich selbst ausgeliefert, oder aber man kann *alles* dafür tun und ist selbst schuld, wenn man nicht da ist, wo andere sind.

Dieses *it* ist das ständige Versprechen im Internet. In den Anleitungen für Selfcare-Routinen, eingelegtes Gemüse und die korrekte Anwendungsweise von Seren zur Förderung von Haarwachstum steckt eine Sehnsucht nach Selbstrespekt, nach einem Leben als Frau, in dem man sich selbst genügt, danach, unantastbar zu sein für die Grausamkeiten und Ungerechtigkeiten, die man entweder erlebt oder zumindest erahnt, seit man vom *girl* zur Frau geworden ist. Es scheint im Internet möglich zu sein, sich eine Welt zu bauen, in der man sich den pausenlosen Bewertungen entziehen kann, eine Welt, in der man sie schlicht und ergreifend für irrelevant erklärt. Das klingt wie eine banale Sache – man muss einfach entscheiden, dass es ab jetzt *egal* ist, wie Leute einen finden, ob der eigene Charakter und Körper gerade in das enge Schema passen, das die Gesellschaft sich für Frauen ausgedacht hat. Man muss einfach entscheiden, dass die pausenlose Suche aufhört nach dem perfekten Körper, der perfekten Seele. In Wahrheit ist es unendlich schwer. Eine Frage von Glück, Privilegien und Willenskraft. Wir geben uns pausenlos gegenseitig Tipps, wie wir endlich *dort* ankommen können, mit der richtigen Creme, der perfekten Duschroutine, einem letzten Lippenstift, dann ist man endlich vollständig.

Es gibt keine richtige Art, eine Frau zu sein. Es gibt sicher Frauen, denen diese Feststellung banal vorkommt, vielleicht sind es die Frauen, die den *Barbie*-Monolog langweilig fanden. Für andere scheint es etwas zu sein, was sie sich immer wieder in Erinnerung rufen müssen, die sogar Trost darin finden können, dass sie es immer und immer wieder vergessen. Ich gehöre zur zweiten Gruppe. Ich empfinde es nicht als überflüssig oder kitschig, es ist nicht unter meiner Würde, mich und andere immer und immer wieder an eine banale und deswegen schnell in den Hintergrund rückende Wahrheit zu erinnern: Es gibt keine richtige Art, eine Frau zu sein. Die Dinge, die gerade richtig sind, können nächstes Jahr bereits zu etwas umgedeutet sein, das falsch ist. Mein Körper entsprach vor vier Jahren einem Schönheitsideal im Internet. Jetzt gelte ich als zu dick für das, was begehrlich ist. In ein paar Jahren wird irgendetwas falsch sein an meinem Gesicht. Ich war früher zu unverschämt, jetzt gelte ich als zu brav. Wenn mir mein Leben als Frau im Internet eines vor Augen geführt hat, dann, dass es kein Ende gibt. Kein Ende der Bewertung, kein Gewinnen eines Spiels, an dessen Ende gar kein Preis wartet. Das Einzige, was mir mittlerweile vernünftig erscheint, ist, den Wettbewerb nicht anzuerkennen.

Und genauso banal scheint die Feststellung, dass man einfach anfangen sollte, *nicht mehr darauf zu achten.* Nicht mehr auf Schönheitsideale, auf das, was wir vorgelebt bekommen haben, was angeblich eine gute Beziehung und eine *echte Frau* ausmacht. Ich zweifle nicht daran, dass es Frauen gibt, denen es gelingt.

Genauso wenig zweifle ich daran, dass es für die meisten Frauen eine unlösbare Aufgabe zu sein scheint. Es ist absurd, von jeder Frau auf der Welt insgeheim zu verlangen, sich jeden Tag aufs Neue eine Welt vorzustellen, die nicht existiert, und sie dann dafür zu verurteilen, wenn sie es nicht in jedem Moment schafft, in dieser Welt zu leben.

Es macht Spaß, sich Mühe zu geben. Mir macht es zumindest Spaß, mir Mühe zu geben. Ich lege keinen Wert darauf, beiläufig oder lässig zu wirken. Das alles ist wahnsinnig viel Arbeit. Die Art, wie ich bin, das Leben, das ich führe, sogar wie ich aussehe. Ich habe kein Interesse an Zufall. Mir Mühe zu geben ist für mich die greifbarste Form von Selbstrespekt. Ich glaube, die allermeisten Frauen geben sich Mühe. Es scheint eingewebt zu sein in das, was *girlhood* in unserer Gesellschaft ist. Das Ausprobieren von Identitäten, das Vermeiden davon, bewertet zu werden, nur, um für das bewertet zu werden, das man stattdessen geworden ist. Frauen in sozialen Netzwerken schaffen Gemeinschaft durch das Sich-gemeinsam-Mühe-Geben. Und die Fragen, die uns ständig begleiten, sind: für wen geben wir uns Mühe? Wen wollen wir damit beeindrucken? Und glaube ich mir selbst, wenn ich sage, dass ich *all das* nur für mich mache?

Wahrscheinlich war ich im letzten Jahrzehnt jeden Tag im Internet, an den meisten davon wurde ich beobachtet von einer anonymen Öffentlichkeit, die zu jedem Zeitpunkt bereit ist, ein Urteil über mich und jede andere Frau zu fällen. Ich habe versucht, den perfekten Körper und die perfekte Seele zu haben, um diesem Urteil zu entkommen. Es hat nicht funktioniert. Nichts davon hat funktioniert. Es gibt keine Gewinnerinnen, es bringt uns nicht einmal als Frauen nach vorne. Frauen enttäuschen und sie empören, sie werden schlechte Feministinnen und Freundinnen sein. Ein Jahrzehnt lang habe ich mir jeden Tag angeschaut, wie Frauen immer neue Ideen erfinden, um doch noch zu gewinnen. Neue Routinen, neue Schlagwörter, Produkte, Ästhetiken, neue Bauernopfer und Idole, die alle wieder daran gescheitert sind, dass Gewinnen in diesem Spiel gar nicht existiert. Und wahrscheinlich ist es auch kein Zufall, dass wir ein ganzes Genre erfunden haben für Frauen, die sich herausnehmen, darüber einfach nicht nachzudenken. Dieses Spiel ist wie eine Social-Media-App, die man vom Handy löscht und nach ein paar Tagen fasziniert merkt, dass man gar nicht mehr weiß, warum man sie früher ständig geöffnet hat. Das alles existiert nur, solange wir zulassen, dass es existiert, solange wir auf die Urteile Wert legen, bei uns und bei anderen. Und wenn man am Ende ohnehin nicht davor sicher sein kann, dass man empört, dann kann man das ja auch einfach von Anfang an mit Absicht machen. Und wenn man es als Frau erst mal darauf anlegt, zu viel zu sein, zu schockieren, zu empören, einen falschen Körper, eine falsche Seele zu haben, stellt sich fast ein Gefühl der Genugtuung ein. Es ist irre einfach. Jede Frau ist immer zu viel.

Und vielleicht ist deswegen in so vieles im Internet diese Sehnsucht eingewebt, als Frau nicht erwachsen werden zu müssen, ein *girl* bleiben zu können, danach, an irgendeiner Art von *girlhood* als etwas Magischem und Einendem festzuhalten, anstatt einzusehen, dass man schon lange zu einer erwachsenen Frau geworden ist. Es kann wunderschön sein, vor dem Gedanken wegzurennen, dass man kein Mädchen mehr ist, das niedlich, harmlos und machtlos ist, weil all das Eigenschaften sind, die einen kurzzeitigen Komfort bieten in einer Welt, die Frauen am liebsten genau so zu haben wollen scheint. Männer versuchen selten, Jungen zu bleiben, selbst wenn sie ganze Räume voller Superheldenfiguren und Spielekonsolen besitzen, sind das *mancaves,* während erwachsene Frauen *girls* sind, wenn sie sich die Haare nach hinten gelen und gerne zum Pilates gehen. Natürlich hat es etwas Spielerisches, genauso hat es aber eben auch etwas Entmächtigendes. Irgendwann werden aus Mädchen erwachsene Frauen, und das ist dann der Moment, in dem man Verantwortung für sich selbst übernehmen muss, dafür, wenn man Entscheidungen trifft, die einem nicht guttun, auch wenn sie sich gut anfühlen, wenn man den falschen Männern Schlüssel zu der eigenen Wohnung gibt, wenn man die Aufgaben nicht erledigt bekommt, die früher der eigene Vater für einen übernommen hat. Das Festhalten an *girlhood* ist auch ein Festhalten an einer Verantwortungslosigkeit, die versucht, den Schwierigkeiten, die einen im Frausein erwarten, zu entkommen. Alles, was man tut, kann als Frau potenziell falsch sein, empörend, im einen Jahr genau richtig und danach dann für immer falsch. Vor allem aber ist man als Frau ein fertiger Mensch, kein Provisorium mehr und kein *work in progress,* nichts, was ständig zur Verhandlung steht und deswegen nicht so hart verurteilt werden kann. Es bleibt einem früher oder später keine andere Wahl, man muss ertragen, eine Frau geworden zu sein. Das Beste daran sind all die Frauen, die auf der anderen Seite auf einen warten. Sie sind genauso empörend und falsch wie man selbst.

ICH IM INTERNET 2

In den Staaten verkaufen sie kalten Kaffee in Plastikflaschen, er steht im Supermarkt im Kühlregal in der Nähe der Pflanzenmilch. Er ist meist colabraun und hat die Viskosität von erhitztem Honig, was, das sollte ich zufälligerweise einige Wochen später lernen, in etwa die Konsistenz ist, die Espresso haben soll, wenn er aus einer Siebträgermaschine rinnt. In diesem Moment, in meinem Hotelzimmer in West Hollywood, in dem ich Cold Brew das erst Mal trank, musste ich aber an Mole denken, eine mexikanische Würzpaste, die aus Gewürzen, getrockneten Chilis und häufig Schokolade besteht und die mir in den vergangenen Tagen ständig begegnet war. Als kompakte Pastenkugel wird sie in eine Plastiktüte gerollt an Straßenständen angeboten, an einem der ersten Tage in unserer Ferienwohnung hat Max eine Portion in einer Markthalle gekauft und am selben Abend in einem Topf erhitzt, bis sie flüssig wurde und der breite, scharfe Geruch der Mole durch die ganze Ferienwohnung drang.

Den Kaffee habe ich achtlos in einem der vielen Supermärkte gekauft, für die Mole wiederum sind wir mehrmals durch – unseren Recherchen nach zu urteilen – eine der besten mexikanischen Foodhallen in ganz Los Angeles gelaufen, bis wir das Gefühl hatten, die Angebote aller Stände genug verglichen zu haben, um eine informierte Kaufentscheidung treffen zu können.

Das ist überhaupt das, was sich einem in Los Angeles in den ersten Tagen aufdrängt: der Kontrast zwischen dem US-Amerika, in dem Convenience über allem zu stehen scheint, und der Stadt, die nicht darauf ausgelegt ist, praktisch zu sein. Auf der einen Seite kalter Kaffee aus Plastikflaschen, auf der anderen Seite eine Stadt, in der der nächste Häuserblock mühelos zwanzig Gehminuten entfernt sein kann. Stundenlange Recherche, weil sich L. A. nicht zufällig erschließen lässt, weil man in jedem Moment wissen muss, wo man hinfahren und wo man aussteigen will. Alles ist umständlich, nur das Parken ist kein Problem.

Ich besuche L.A. als logische Konsequenz daraus, dieses Buch geschrieben zu haben, es ist die Keimzelle von Influencertum, Paparazzi-Kultur, der Ort, an dem der *Clean-girl*-Lifestyle seinen Ursprung hat, weil er wie gemacht ist dafür mit seinen unzähligen Parkplätzen, Pilates-Studios und Bio-Supermärkten, die Smoothies für 18 Dollar anbieten. Hailey Bieber inszenierte hier ihre missglückten Nepo-Baby-Rebrand-Fotos. Sofia

Coppolas Filme spielen in Los Angeles, Romy Coppolas erster Song handelt von einer Party in Hollywood. Die Kardashians liefen am Anfang ihrer Karriere die Straßen in Beverly Hills auf und ab in der Hoffnung, dabei fotografiert zu werden. Die Emo-Kultur der Nullerjahre, die auf TikTok so oft zitiert wurde, dass sie ihre eigene Jugendkultur wurde, ist direkt beeinflusst von den Skatern und Surfern in Venice Beach, und dann natürlich: Hollywood, von dem ich unendlich enttäuscht war, als ich herausfand, dass es nicht mehr ist als einer von vielen Stadtteilen, der wegen des ikonischen Schriftzugs etwas bessere PR erhält als, sagen wir, Prenzlauer Berg. Die Stars wohnen nicht in Hollywood, musste ich lernen, zumindest die meisten nicht, sie wohnen in Malibu und Calabasas. Hollywood jedenfalls als Stellvertreter für alle Probleme, die Celebrity- und Popkultur heute zu haben scheinen: der Schönheitsdruck in Hollywood, der Nepotismus in Hollywood, die Sexualisierung von Frauen in der Industrie. All das passiert in Los Angeles. Mir scheint, als würde einem ständig gesagt, dass New York die großartigste Stadt der Welt sei, während Los Angeles es ganz einfach ist.

Wenn wir schon hier sind, dann sollen wir auch direkt Pressefotos für das Buch machen, das sagen alle, der Verlag, meine Lektorin Mona, meine Agentin, ich sage es, vor allem aber sagt es Max, der die Fotos am Ende macht und sich wahrscheinlich freut, mit seiner Leica ins

Gegenlicht der Westküste zu fotografieren. In L.A. müssen wir auf jeden Fall Fotos machen, sagen wir also alle, und wir sprechen nicht weiter darüber, was genau das bedeutet, wahrscheinlich, weil wir ahnen oder vielleicht sogar genau wissen, was es bedeutet. Man weiß, wie das Licht in L.A. aussehen wird, welche Körnung die Fotos haben sollen, was im Hintergrund zu sehen sein soll, wie schräg ich den Kopf legen werde, die Augen leicht zusammengekniffen, weil die untergehende Sonne mich blendet. Wir alle waren selten genug in Los Angeles, um dieselben, sanften Klischees im Kopf zu haben, die fehlende Vielfältigkeit in der Inspiration fühlt sich an, als hätten wir eine einheitliche Vision.

Wir haben vor, das Licht einzufangen, das aus demselben Grund nicht weiter besprochen oder beschrieben werden muss. In Los Angeles ist klar, welches Licht gemeint ist.

Wahrscheinlich gefällt mir die Idee aber auch, weil es so unverschämt ist, so überflüssig und eitel. Pressefotos aus Los Angeles, mir gefällt, dass es Leuten nicht gefallen wird, es ist ein Reflex, den ich mir am Anfang meiner Arbeit als Autorin schnell angewöhnt habe: Gefallen daran finden, dass man Leute empören wird, das ist nachhaltiger und auch etwas eleganter, als davon überrascht zu werden. Empört sein werden sie ohnehin. Pressefotos am anderen Ende der Welt.

Ich stelle die Plastikflasche mit Cold Brew abends auf

die Küchentheke, ich möchte ihn morgens in schnellen, großen Schlucken trinken, dann werde ich das letzte Drittel im Glas stehen lassen, so, wie ich das letzte Drittel von jedem Kaffee und jeder Zigarette nicht mehr zu mir nehme. Beides immer die falsche Temperatur, egal, wie sehr man sich beeilt. Nachdem ich die Flasche auf die Küchentheke gestellt habe, lege ich mich ins Bett und öffne TikTok, ich kann mir nichts Gemütlicheres vorstellen, als abends im Bett zu liegen, im Hintergrund eine Serie laufen zu lassen und parallel auf dem Handy Videos in sozialen Netzwerken anzuschauen. Eines der ersten Videos, das ich sehe, ist das einer jungen Frau, die mit ernstem Gesicht in die Kamera spricht. Der Titel des Videos lautet in etwa »Wieso Sophie Passmann überschätzt ist« oder »Können wir endlich aufhören, Sophie Passmann zu feiern«, so was in der Art. Ich stelle mein Handy auf laut, diese Art von Videos kriege ich nicht wirklich häufig angezeigt, aber häufig genug, um im Moment noch kein nachhaltiges Vertrauen in den Algorithmus zu haben, der offenbar zu glauben scheint, dass ich gerne Videos dazu sehen möchte, wieso ich überschätzt bin.

Meine Ohren dröhnen in solchen Momenten, ich erinnere mich bereits in der Sekunde, in der ich die Informationen in dem Video aufnehme, nicht mehr daran, was gesagt wurde, ich erahne die grundsätzliche Aussage, die ist aber auch eher eine Summe von allem, was ich jemals im Internet über mich gelesen, gehört und gesehen habe. Jeden schlimmen Gedanken, den man über mich denken kann, habe ich schon über mich im Internet gelesen. Die Spirale, in der ich mich danach befinde, kenne ich, sie ist nicht dramatisch und vor allem von außen nicht zu bemerken, sie wird kurzgehalten, höchstens ein paar Tage, weil ich auch finde, dass in ihr nicht viel Spannendes, nicht viel Neues passiert. Es ist immer der »Endlich sagt es mal einer«-Charakter in Debatten im Internet, der mich paralysiert. Man kann sich nie entspannen. Es reicht eine Einzelmeinung, die ohne Anlass in Form eines Videos oder Statements ausgesprochen wird, und es ist dann niemals diese Einzelmeinung, die wehtut, sondern der Sturm der Erleichterung, der folgt. Von Leuten, die offenbar nur darauf gewartet haben, dass diese Meinung, die sie schon lange heimlich hatten, salonfähig wird. Und es ist die Gewissheit, dass Leute sich im Zweifel gerne mitreißen lassen von einer neuen Meinung, wenn das Timing und der Zeitgeist stimmen, dass sie also gar nicht zwangsweise schon vorher das gedacht haben müssen über einen, was sie jetzt denken. Es ist eine Frage von guter PR, von Glück, es ist ein ständiger Wettbewerb darum, wer am überzeugendsten ist bei der Frage, wie ich als Mensch so bin.

Es ist nichts Großes, was da passiert, ich befürchte keinen Shitstorm und keine Welle der Kritik. Ich schaue mir das Profil der Frau an, die das Video gepostet hat, und entdecke, dass sie in den letzten Wochen einige dieser Art über mich gepostet hat, nicht jedes hat den Erfolg bekommen, den sie sich wahrscheinlich erhofft hatte, aber alles in allem findet sich eine beachtliche Menge an Menschen in den Kommentaren wieder, die sich darüber austauschen, was sie an mir mittlerweile unerträglich finden. Die blonden Haare. Dass ich nicht mehr Single bin, seit ich so operiert bin, könne man mich nicht mehr ernst nehmen, heute nur noch Selfies und Lifestyle, schade sei es, schade. Ich lese die Kommentare immer weiter, ich bin seit ein paar Jahren so weit, nicht mehr mit den Leuten diskutieren zu wollen. Früher habe ich manchmal etwas dazugeschrieben und mich über den kurzen Moment des Schreckens gefreut, der sich bei den Leuten einstellte, wenn sie sahen, dass die Person, über die sie im Schutze des Internets sprachen, tatsächlich mitlas. Es gab dann einen plötzlichen Shift in der Haltung der Menschen, der Art, wie sie sprachen, ihre Rechtfertigungen und entschuldigenden Erklärungen gaben mir eine Genugtuung, die heute nicht mehr einsetzt. Heute lese ich mir das alles nur durch, um mich daran zu erinnern, dass diese Menschen keine informierten Urteile treffen. Sie kennen mich nicht, deswegen können sie mich gar nicht mögen. Ich ignoriere in diesem Moment für mein Seelenheil die große Ungerechtigkeit, die sich durch das

Leben zieht genau wie durch dieses Buch. Sie können mich sehr wohl nicht mögen, auch dann, wenn sie mich nicht kennen. Man kann Leute schlicht und ergreifend auch einfach nicht mögen.

Am Morgen trinke ich meinen Kaffee in großen Schlucken und gebe gleichzeitig die Kontrolle über den Tag ab, die klare Vision, die von den Fotos existierte, habe ich nicht mehr im Kopf. Das, was wir alle, der Verlag, Max und ich, wochenlang besprochen hatten, fühlt sich unbrauchbar an, weil ich all das ja noch im Glauben geplant hatte, gemocht zu werden für meine Ideen. Es ist eine Theatralik, die ich mir erlaube, weil ich weiß, dass sie morgen wieder vorbei ist. Heute muss ich nicht tapfer sein, heute glaube ich, was die Leute im Internet über mich sagen. Früher hätte ich wahrscheinlich wirklich keine Pressefotos in Los Angeles gemacht, denke ich. Wahrscheinlich habe ich mich wirklich verändert. Wie kann sie nur?

Wir spazieren den Venice Beach hoch und runter, ich trinke einen weiteren Kaffee, ich habe ein unendliches Konto von Koffein pro Tag, nicht, weil ich es gut vertrage, ich bin einfach bereit, seine Nebenwirkungen zu ignorieren. Die Eiswürfel klackern bei der Erschütterung jedes Schrittes beruhigend im Plastikbecher, das Geräusch meines Frauseins. Mit anderen *girls* durch die Stadt laufen und Iced Coffee trinken, denke ich. Ich spaziere die Promenade entlang, während Max mich fotografiert, Skateboard-Fahrer weichen mir aus, und ich weiche ihnen aus, der Tag wird bereits jetzt, bevor die Geschäfte mit bedruckten T-Shirts und Surfboard-Verleih geöffnet haben, in dieses Los-Angeles-Marketing-Licht getaucht. Am liebsten würde ich in diesem Moment eine neue Idee haben, für andere Fotos, zu einem anderen Buch, das eine andere Version von mir geschrieben hätte, ich möchte alles rückgängig machen, woran ich das letzte Jahr gearbeitet habe. Ich kneife die Augen zu, während ich in der Sonne stehe und die Menschen nur schemenhaft erkenne, ich höre das seidige Auslösergeräusch der Kamera, von dem selbst ich mittlerweile ohne einen Blick erkenne, dass es von einer Leica sein muss, und ich ertrage das Gefühl, jemand anders sein zu wollen, während ich einen Job habe, in dem alle darauf angewiesen sind, dass ich genau ich selbst bin. Ich weiß, dass die Fantasie vom völlig anderen Buch einer völlig anderen Sophie morgen wieder vergessen sein wird, sie ist schon vergessen, als wir uns die Fotos am nächsten Morgen am Laptop anschauen. Ich weiß, dass diese Fantasie nur existiert, um diese eine fremde Person aus dem Internet, deren Video ich gestern vorm Einschlafen sah, davon zu überzeugen, dass ich doch ganz anders bin, als sie dachte. Es ist albern und überflüssig, aber es ist ein Reflex, den das Internet, in dem ich mich jeden Tag befinde, nur weiter trainiert hat: nur das zu zeigen, was andere von mir sehen wollen.

Ich kann jede Version sein, die ihr von mir sehen wollt.

DANK

Danke an Mona Lang, ohne die ich keine Bücher schreiben würde.

Danke an Max Strohe, Jule Lobo, Simon Dömer. Danke an die Kiebels.

Danke an Sarah Hartgens, Jonathan Kolberg und Saskia Fromme.

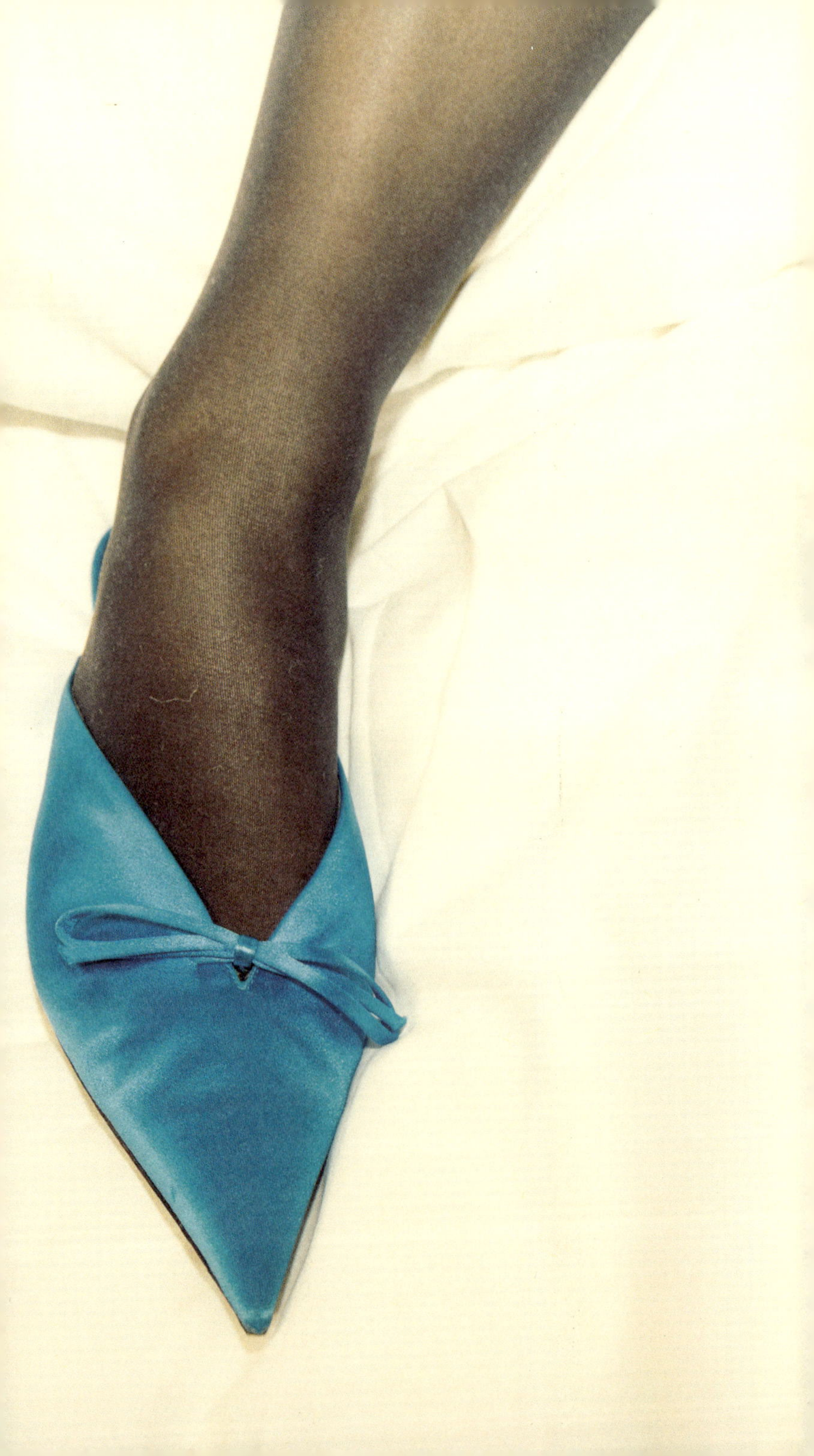